COBALT-SERIES

炎の蜃気楼《ミラージュ》

真紅の旗をひるがえせ

桑原水菜

集英社

目次

炎の蜃気楼《ミラージュ》　真紅の旗をひるがえせ

イラスト／浜田翔子

ふたり牡丹

一

「くあー、ハラへったー。譲《ゆずる》、帰り『吉牛《よしぎゅう》』よってかねー？」

終業チャイムが鳴り終わらないうちに、斜め前の席へと声をかけた生徒がいる。

城北《じょうほく》高校二年三組。土曜の最終授業は現代国語だった。吉兼教諭《よしかねきょうゆ》が教壇《きょうだん》を降りるのと同時に、声をかけてきたのは、窓際の一番後ろの席に座る「目つきの悪い」男子生徒だ。

「今日部活ねーんだろ？　メシくって帰んねー？」

「いいけど？　おまえこそバイトは？」

「バイトは二時から。まだへーき」

「松本《まつもと》インターんとこのガソリンスタンドだっけ。どーでもいいけど、バイト届け、ちゃんと出してんの？」

「あんなとこだし、ばれねーだろ」

「油断してんなー。次呼び出されたらヤバイんじゃなかったっけ」

しんねーよ、と言って仰木高耶《おうぎたかや》は薄っぺらいカバンを摑《つか》んだ。

のどかな土曜の放課後である。

梅雨《つゆ》の晴れ間というヤツか、雨があがって校庭には日が射《さ》してきた。午後の部活に残る生徒、帰る生徒、土曜の午後の過ごし方はそれぞれだ。成田《なりた》譲も本来は居残り組だが、先週定期演奏会があったため、今週は休みなのである。

「矢崎《やざき》ーっ。おめーもいかねー？」

と一番前の席の矢崎徹《とおる》に声をかける。

「わりー。今日オレソッコー帰るんだわ」

「珍しいじゃん」

「うちさー、今年の青山《あおやま》様の世話役になっててさ、いろいろ手伝わなきゃなんねーのさー」

「あー、もうそんな季節だっけ」

長野《ながの》県立城北高校は松本市にある。

松本城のお膝元《ひざもと》で栄えてきた歴史溢《あふ》れる城下町だ。

その城下町で豆腐《とうふ》の店をかまえる矢崎の家は、江戸《えど》時代から続いてきた由緒《ゆいしょ》正しい商家だという。

青山様というのは、毎年お盆頃に行われる、この地方独特の子供まつりだ。杉の葉でつくった御輿《みこし》を子供らが担いで町中を練り歩く。

「青山様だい、ワッショイコラショイ……か。そういや昔かついだなー……」

　ここ数年、松本はずいぶん洗練されてきた。シャレたショップも増えて、同じ信州《しんしゅう》でも軽《かる》井沢《いざわ》あたりとはまた違い、地元の若者が集まってくる。しかし街角のなまこ壁は健在だし、もともとハイカラな気風があったせいか、城下町の伝統と新しいモノの取り入れ方がよいバランスを保っている……とは、郷土史も担当する社会科教諭の弁である。ホントかいな、と高耶は思ったが、まあ、端《はた》から見ればそういうことになっているらしい。

「そーせー。それに、うちの町内会、今年の松本ぼんぼんに『連《れん》』組んで出るしさー」

「うっそマジ？　おまえ出んの～？」

「やだ、どーしよー。晴れてきちゃったー！　今日部活中止だって思ってたのにー！」

　といきなり後ろからキンキン声を浴びて、高耶は振り返った。テニス部の森野《もりの》紗《さ》織《おり》だ。

「ねー、おーぎくん！　日焼け止めもってない？　日焼け止め！」

「んだよ、もってるわけねーだろ」

「もー、松本は紫外線強いんだから、日焼けしたらヤバイんだってば！」

「なに、ばばーみてーなこと言ってんの？」

　北アルプスの麓《ふもと》にある松本は、標高約六百メートル。紫外線もその分強い。

「たしかにッ。あんたみたいなガサツな奴《やつ》には、紫外線も赤外線もカンケーないでしょーよー」

「てめーに言われたくありませんね」

「いーけど記憶喪失《そうしつ》治ったの？　千秋《ちあき》くんのこと思い出した？」

高耶は大きく溜息《ためいき》をついた。

「あーはいはい、思い出しましたよ」

「なにその言い方。どーでもいいけど、こないだの夜中のガラス割り事件、やったのあんたじゃないかって、先生たち疑ってるよ」

「なにィッ？」

と高耶は目をひん剝《む》いた。

「なんでオレが疑われんだよッ！」

「呼び出された腹いせにやったんじゃないかって。仰木くん、やりそーじゃん」

高耶は額《ひたい》を押さえてうめいてしまった。割ったのは自分ではないが、まったく無関係というわけでもないから困ったものである。

「心配すんなよ。おまえのアリバイはオレが保証するし」

「ア……アリバイって、譲……」

「疑われたら、うちで一緒に加助一揆《かすけいっき》の調べ物してましたって証言してやるよ」

「そ……そーだよな。ははは」

ひきつった高耶の笑いに、譲はニッコリと天然の笑みを返してきた。

＊

「ったく梅雨だし、あんまバイクのんねーから、いーけどさ。修理代いくらかかると思ってんだよ」

牛丼屋《ぎゅうどんや》は昼時とあって、近くの信州大の学生やらトラック運転手やらで賑《にぎ》わっている。ブツブツ言いながら牛丼をかっくらう高耶を横目に見て、譲は困り眉《まゆ》で笑っている。

「おまえが変な信号レースなんかにひっかかるからだろ」

「くっそー。オレのGSX《じすぺけ》～……」

泣いて牛丼をつまらせる高耶を適当に慰《なぐさ》めながら、譲は箸《はし》を止めてカウンターに肘《ひじ》をついた。

「だけどホントよかったよなー。加助さん達、元にもどれて……」

事件が起きたのはつい数日前のことである。

城北高校で奇妙な怨霊《おんりょう》騒動が起きた。二百年も前に松本で起きた一揆の先導者たちの霊が、なんと城北高校に現れたのだ。貞享義民《じょうきょうぎみん》と呼ばれる、多田《ただ》加助ら二十八名の霊だった。

彼らは義民と呼ばれていた。江戸《えど》時代の中頃、藩主に年貢の引き下げを求めて一大運動を起こしたが、藩の横暴に遭《あ》い、処刑されてしまった人々だ。無念の霊たちだったのだ。

生徒達に危害を加える加助たちをやむなく「退治」すべく高耶は「あの男たち」と一緒に真

夜中の校舎に乗り込んだのである。どうにかこうにか事件は解決し、加助たちは鎮《しず》められたのだが。

「そもそもあの人たちは悪くねえのにな……」

高耶は湯飲みを握ったまま俯《うつむ》いた。

「ゆるせねえ、あいつら」

（森蘭丸《もりらんまる》……）

高耶の怒りは収まらない。加助らの善良な魂《たましい》を利用した。この自分を殺すために。

（オレが景虎《かげとら》だったから……）

「なあ、高耶。今度、中萱《なかがや》の加助さんのお墓参りにいかないか」

高耶は驚いて顔をあげた。

「墓参り？」

「ああ。加助さんの話、皆に広まってるらしくてさ、期末試験終わったら有志で墓参りいかないかって。中萱なら電車ですぐだし」

試験休みは毎日バイトを入れてあったが、

「安曇野《あずみの》か……」

小学生の頃、郷土史の社会科見学で、加助の史跡を巡ったことがあった。中萱村には貞享義民をまつる神社があって資料館もある。

「オレもいってみっかなー……」

「紅生姜《べにしようが》食べないなら貰《もら》うよ」

「あ……ああ」

譲が箸《はし》を伸ばして高耶の丼《どんぶり》から紅生姜をつまんでいった。高耶は大きく溜息をついた。

(直江《なおえ》の奴、大丈夫だったんかなー……)

加助たちを鎮めるため、真夜中の校舎に乗り込んだのは、高耶と直江と綾子《あやこ》だった。森蘭丸の仕掛けた吸力結界に手こずって、直江はあの時、背中にガラスの破片を浴びるという大怪我《おおけが》を負った。

(オレなんかかばって……)

あんな風に、文字通り身を挺《てい》して……。

(かばったり……するから……)

「なに牛丼前にして深刻ヅラしてんだよ」

聞き覚えのある嫌味な声にギョッとして振り向くと、高耶の隣にドカッと座り込んだのは城北高校の制服を着た若者だった。

やや長めの髪を尻尾《しっぽ》結びにし、クールなフレームのメガネをかけた、なかなかの男前。

「ち、千秋、てめえ！」

「牛丼大盛り、つゆだくで！　あ、玉子もつけてー！」

大盛り汁ダクギョク一丁！　と復唱する店員の声を上回る勢いで、高耶ががなりたててきた。

「なにうちの制服着てうろついてんだよ！」

「ご挨拶《あいさつ》だな。暇なんだからガッコぐらい通わせろ」

「加助も蘭丸も、もういねーぞ！」

「だってガッコーたのしいんだもーん」

城北高校にまぎらわしいやり方で紛れ込んだ「座敷《ざしき》わらし」。千秋修平《しゅうへい》こと安田《やすだ》長秀《ながひで》は、すっかり松本に住みついてしまっていた。

「千秋、おまえって一人暮らしなんだっけ。いいよなー、気楽で」

譲もすっかり打ち解けてしまっている。

「おう、一人はラクだぜ。エロビデオみまくり、朝帰りＯＫ。その点、保護者つきはツライですねえ、おーぎくん」

エロビデオはちょっと羨《うらや》ましいかも、と思ってしまった高耶である。

「今夜遊びに来いよ。おーぎ」

「いかねーよ。馬鹿」

「エロビデオみまくり」

「うっそ。マジ？」

ついノってしまった。

「んじゃ決まりな」

というと千秋は大盛り牛丼をかっくらい、あっという間に平らげてしまった。

「ごっそさん。あ、これ晴家《はるいえ》からおまえに」

立ち上がった千秋が親指で何かコインを弾《はじ》いて見せた。高耶の手に落ちてきたのは五百円玉だ。

「バイク壊れた慰め料。こいつで牛丼でもおごっといて、だって。ついでに俺の分も払っといてよ。んじゃ、夜迎えにくっから」

「おいちょっと待て。いかねーぞ！　迎えなんて……いら……ッ。こら、千秋！」

つまようじを銜《くわ》えたまま、千秋は飄々《ひょうひょう》と店を出ていってしまった。茫然《ぼうぜん》としている高耶の横で、譲が嫌味混じりに、

「いくら家じゃ美弥《みや》ちゃんいるからって、おまえ、ちょっとショージキすぎ……」

高耶はますますげんなりしてしまった。

＊

土曜の午後のガソリンスタンドは、まずまずの混み具合だ。松本インター手前のスタンドな

ので、高速にあがる車がよく寄っていく。県外のナンバーも多い。

「オラーイ、オラーイ、オラーイ……、ハイ、ストーップ！　いらっしゃいませ！」

高耶はガソリンスタンドのバイトが好きだ。ガソリンやオイルの匂《にお》いも嫌いではないし、むしろ気が落ち着く。真冬の洗車作業はつらいが、同じ客商売でもファーストフードのように引きつった「作り笑顔」で疲れることもないし、広いスタンドを忙《せわ》しく走り回るのは性《しょう》にあっている。何よりいろいろな車やバイクが見られる。先日などはハーレーのツーリング部隊が大挙して押し寄せ、つい話し込んでしまい、主任に叱《しか》られた。

「レギュラー満タンでーす！」

「そちら、空気圧《エア》もよろしく！」

「お待たせしました」

と高耶は他県ナンバーの赤いレガシィで待っていた女の客に釣りを渡しながら、

「五千と九百円のお返しです。お帰りはどちらからですか」

「これから駅のほう行きたいんだけど、右折して直進でいいの？」

「あー……。だったら右折後、右車線で行ってください。渚《なぎさ》んとこの…えーと、19号と合流する交差点、直進は右折レーンと一緒になるんスよ。あそこ初めての人は間違《まちが》い易《やす》いんで」

高耶にとっては学校の部活などよりバイトをやっているほうが遙《はる》かに充実している。まあ、学校には内緒なので堂々とは言えないが、（元々顔立ちが大人びているので、大学生に間違えられることもしばしばだ）もう車種を見れば給油口の左右も見分けられるようになったし、タイヤの空気圧やオイル点検もそつなくこなせるようになった。自分のバイクのメンテナンスもスタンドで学んだようなものだし、車やバイク好きの先輩どもからいろいろ情報がもらえるので、一石二鳥だ。

（ガッコの勉強もこうだといーのに……）

客の車を見送って戻ってきた高耶に先輩アルバイターが声をかけてきた。

「仰木ィ、月曜夕方来れる？」

「夕方っすか？　空《あ》いてますけど」

「わりぃ。ちょっと入ってくんないかな。俺ちょっと急用でサ……」

「いっスよ。四時からでもいーすか」

やりとりしている間に、また一台車が入ってきた。高耶は小走りに迎えに出た。

「一番奥にどうぞ！　ッて、おまえ！」

「勤労ごくろう、青少年」

運転席から顔を出したのは、なんと。

千秋修平ではないか！

「てててててめ、千秋！　なんでエラそーに車なんか乗ってんだよ！」

「なんだー？　いーじゃんか。別に」

「おめ、高校生じゃねーのかよ」

「俺？　俺、十九」

「うそこけ」

「おめーがフケ顔なんだよ。レギュラー満タンね。あーっと窓ガラス拭《ふ》くなら新品のでやってくれる？　俺のレパードちゃんのお顔、きたねータオルなんかで拭くなよ」

むかーっと来た高耶だが、一応客なので怒鳴り返すこともできず（他の客も見ている）、高耶は嫌々作業にとりかかった。

「で？　バイト何時に終わんの？」

「九時」

「ふーん。じゃ向かいのファミレスで待ってるわ」

「なにぃ！　てめ、マジで迎えに来たのかよ」

「もちろんだろ、大将」

早く終われよ、と投げキッスまでされて、高耶はドッと脱力してしまった。

＊

エロビデオなんかにつられたオレが馬鹿だった……。

と高耶は心底、後悔しなければならなかった。さてその後、千秋の住むおんぼろアパートに連れてこられた高耶である。そこで待っていたのは、エロビデオどころか、見事なスパルタトレーニングだった……。

「いいか。《力《りょく》》取り戻すまで、みっちりやれって直江にも言われてんだ。つーわけで、今日から特訓を始める。まずは念動力《ねんどうりょく》の特訓からな！」

嬉々《きき》としている千秋の顔を見て、嫌な予感はしたのだが、

(大当たりだよ、こりゃ)

昔愛読した子供雑誌の超能力開発コーナーを地《じ》でいく「トレーニング」だったのだ。箸から糸でつり下げたコインを持ってきて、手を触れずに動かせというのである。

「んだよ、ショボい訓練だな」

「んじゃ動かしてみろよ。ほら」

動かせるわけがない。すると千秋がまた嬉《うれ》しそうに「こーやんだよ」と言うや否《いな》や、ぶぃんぶぃんと大車輪のごとく糸のコインを念で振り回し始めたではないか。こんな単純なものでも感動してしまった高耶である。

「うーわ、ホントにまわってやがる」

「おめーもやんだよ」

ゴツン。

「そーじゃねー。イメージすんだよ、イメージ」

　ゴツン。

「全然できねーじゃねえかッ」

　ゴツン。

「いちいちブツなよ！」

「だったら、動かせ！」

　こんな子供だましみたいな訓練でも、できないとムキになってしまうものらしい。そんなこんなをしているうちに大喧嘩《おおげんか》になってしまい、とうとう隣の部屋の住人から文句を言われて外に追い出されてしまう始末である。

「だからオレは景虎じゃねーんだって！」

　コンビニの前にヤンキー座りをして、高耶は吐き捨てるように言った。念動力なんてできなくて普通、と思っていても、人が目の前でヒョイヒョイやってしまうことを自分ができないというのはかなりいたたまれないことで、ついつい卑屈《ひくつ》になってしまった高耶である。

「どいつもこいつも、景虎景虎って。やっぱオレじゃねーんだよ。たかが一回や二回《調伏《ちょうぶく》》したからって、なんなんだよ。偶然だろ。その気になりゃ誰だって…」

「俺もおめーみてーな馬鹿が景虎だとは思いたくねーよ」

「む。馬鹿は余計だ」

「はーあ。愚痴《ぐち》ゆーなら、こっちだぜ。なんでおめーの面倒なんか見ねーとなんねーのよ。せっかくお気楽生活やってたのによ」

「だったら来なきゃいーじゃんかよ。大体おまえ景虎の敵方だったんだろ」

「四百年も前の話な」

「………。いーけど。直江達は赤ん坊に換生《かんしょう》するって聞いたけど、おまえはそーじゃねえんだろ。その体も誰かから無理矢理奪いとっちまったってゆーんじゃねーだろな」

「………。そうだったら、どうする」

「ゆるさねえ」

高耶は即答した。駐車場に入ってきた車のブレーキランプが高耶の横顔を赤く照らし出した。

「譲は信玄《しんげん》にそうやって体とられそうになったんだ。もし、そうなら許さねえ」

千秋はそんな高耶の吊《つ》り上がった目を見て、いきなり「でこぴん」をかました。

「いでっ」

「そーゆー台詞《せりふ》は《力》が使えるようになってから言うもんだ」

と言って千秋は立ち上がった。

「おめーが景虎でなくても即戦力なら誰でもいーんだよ。まあせいぜい景虎の穴埋めて、直江を喜ばせてやるこったな」

高耶は溜息《ためいき》をついた。直江という男も大したイヤミ野郎だが、千秋といい綾子といい、四百年も生きた連中というのは皆こんな具合に「大した性格してやがる」のだろうか。

(へいへい、オレなんざヒヨっこです)

妙に卑屈になって夜空を見上げる。城山の真上あたりに蠍座《さそりざ》の赤い星がまたたいていた。

＊

月曜の朝というヤツほど、気が重たいものはない。

土日のバイト疲れもあって、たいてい寝坊してしまう高耶である。立ち上がりの悪さに加えて、一時間目から苦手の物理ときた。気が重いことこの上ない。空《す》きっ腹《ぱら》で物理室に駆け込むと、幸《さいわ》いまだ教諭は来ていなかった。が、生徒らの様子がなんだか変なのである。

「あ、高耶！　ちょっとこっちこっち！」

窓際のストーブの近くで、矢崎達とたむろっていた譲が高耶を見つけて手招いた。

「何みんなざわついてんの？」

「やばいよ。また出たって」

「出たって何が？」

「幽霊だよ」

高耶は思わず目を剝《む》きだした。

「幽霊……って、まさか」

「こないだの土曜にまた出たんだって。今度は女子更衣室」

「のぞきじゃねーの」

「馬鹿。違うよ。白い着物着た女の子だって」

「白い着物？」

と聞いて顔をしかめた。確か加助《かすけ》達も皆、白装束《しろしょうぞく》をまとっていたからだ。

「部活が終わって帰ってきた生徒が目撃したらしいんだ。しかも更衣室ん中に置いてあった着替えが、どういうわけかみんなびしょ濡《ぬ》れになってて」

帰るのにたいそう難儀《なんぎ》したらしい。スプリンクラーの誤作動でもあったのでは、と疑ったのだが、床には水を撒《ま》いたような形跡はまったくなかったというのである。

「うわ、マジ。それホンモンじゃん」

「もしかして、加助さんたちの中にまだ成仏《じょうぶつ》できてない子供がいるんじゃないかな」

「まっさか。だってあの時たしかに」

と言ってもあれで全員だという確証はない。まだ他にもいたかもしれない。

「うぃーっす」

と前の扉から手を挙げて千秋修平が現れた。いいところに来た、とばかり、高耶は千秋を呼ぶと、事の次第を語って聞かせた。

「また出た？　んな馬鹿な」

千秋も本気にしなかった。

「このガッコにゃもういないはずだぜ。残ってたなら、俺か晴家がとっくに気づいてる」

「じゃ、どういうことだよ」

「起立ーっ」

そこに物理の赤坂《あかさか》教諭がやってきた。幽霊問題は休み時間に持ち越しとなった。

＊

「うー……ん。やっぱりな」

郷土史の本棚の前で、千秋が本を開きながら低くうなっている。昼休みである。高耶たちは珍しく学校の図書館にやってきていた。

「見ろ、ここ」

千秋が開いていたのは加助一揆《いっき》に関する資料の載った本だ。

「加助一揆の処刑者だ。やっぱり男の子供はいるが、女の子供はいない」

加助一揆で処刑された女性は、ただひとり。小穴善兵衛《おあなぜんべえ》の娘「しゅん」だけだ。そもそも女性が処刑されるのは異例のことで、彼女の場合は伝令係か何か重要な役を請け負ったためだと言われている。もうひとつの刑場であった出川原で処刑された者の名も見てみたが、ここにも女の名はなかった。

「そもそも男の子供が処刑されたのは家系の断絶が目的だから、女児は含まれないはずなんだよな」

「じゃあ、今回のあれはどういうこと？」

「うー……ん。加助一揆とは関係ないのかもしれねえな」

千秋は開いていた本をパタンと閉じた。

「……加助たちに刺激されて、元々いた霊が活性化したのかもしれねえ。手っ取り早く、現場で霊査《れいさ》すんのが一番なんだが」

女子更衣室という場所が場所だけに、なかなか近づけないのである。

「晴家とかいう、あのねーさん呼べば？」

「わざわざ呼ぶほどのことでもねえし。暗示も面倒だし。中入れるよう、誰か女子に協力してもらうか」

思案していたときだった。反対側の本棚の隙間《すきま》から大きな目がこちらを覗いた。途端に「いたいた、仰木くん！」と声があがった。裏側から現れたのは森野紗織だった。

「ちょうどいいとこに来た、森野。あのな」

「探したんだよ、仰木くん！」

「？　どうした」

「また出たの！」

ここが図書館だということを忘れて、紗織は怒鳴った。

「幽霊！　また出たの！」

「なにぃ！」

紗織の後について、高耶たちは体育館二階の女子更衣室へと駆け付けた。現場では四時間目に体育の授業があった女子生徒達がジャージ姿のまま右往左往《うおうさおう》している。体育教諭らは「誰かの悪戯《いたずら》だ」と騒いでいる。

「ちょっとごめんよ」

岡《おか》っ引《ぴ》きのように言って、千秋達も野次馬《やじうま》をかき分けて前に出た。なるほど、女子生徒達はびしょ濡れになった制服を手にして途方にくれている。しかし床や机はまったく濡れていないのだ。天井も乾いていて水漏《みずも》れという感じではない。衣類だけがびしょ濡れになっているという、とても奇妙な現象なのだ。

「変だよォ。だって折り畳《たた》んだ時のまんまの形でびしょ濡れになってるんだよ～……」

一着一着、水に浸《ひた》したとかでもないらしい。

「……どうだ、千秋」

メガネの奥の瞳《ひとみ》を細めて残留霊気を霊査している。すると突然千秋は騒いでいる女子をかき分けてズンズン中に踏み込んでいった。

「やだ、ちょ……ッ、千秋君！」

千秋はあたりを見回した。霊はもういない。手近の机に置いてあった制服に手をかけた。成《なる》程《ほど》。水が滴《したた》るほどぐっしょり濡れている。なんだか少し生臭《なまぐさ》い。真水ではなく藻《も》が生えた池のもののような……。

同時に譲が何かに勘《かん》づいたらしい。

「……高耶ッ。歌が聞こえる」

「なに」

言われて高耶も耳を澄ました。霊感など全くないと思っていた高耶にも、それは聞こえた。動揺のざわめきに混ざって、確かに何か聞こえる。か細い、子供の声だ。

(何かの歌……？)

千秋にも聞こえていたらしい。女の子供の歌声だった。どこか哀調《あいちょう》を帯びたメロディなのだが千秋には聞き覚えのない歌だ。それもほどなくして消えていった。

「ち。捕まえ損《そこ》ねたな」

戻ってきた千秋は、険しい顔で突っ立っている高耶と譲に気がついた。ふたりは、どうやらあの歌が何か知っているらしい。

「おまえら、何の歌だか、わかるのか」

「…………。ぼんぼんだ」

と高耶が茫然《ぼうぜん》と答えた。

「あれ、ぼんぼんの時の歌だ」

ぼんぼん？　と千秋は奇妙そうに首を傾《かし》げた。

2

立て続けに起きた怪現象のおかげで結局、その日の午後から体育館二階の更衣室は当分の間、使用禁止になってしまった。

「ぼんぼんって何のことだ？」

午後の授業を抜け出した高耶《たかや》と千秋《ちあき》である。屋上の渡り廊下《ろうか》部分のコンクリートの出っぱりに腰掛けた高耶が、千秋から問われてこう答えた。

「ぼんぼんってのは、松本《まつもと》の古い祭りのこと。……っつっても、松本ぼんぼんのことじゃねーぞ。あれは別モン」

「松本ぼんぼん？　なんじゃそりゃ」

「毎年八月の第一土曜だかにやる市民あげての馬鹿《ばか》騒ぎのこと」

なんでもそちらは二十年ほど前に始まった新しい祭りで「松本ぼんぼん」なるオリジナル曲に合わせ、市民が「連《れん》」を組み、市内を練り踊るという「阿波《あわ》踊り」か「よさこい祭り」のようなものらしい。近年流行《はや》りの「よさこいなんとか」ブームに乗って様々な団体がチームを組んで参加して盛り上がっているらしいが、「みんなで力を合わせて一緒に盛り上がりましょう」系の無節操なノリがイマイチ好きになれない高耶は、毎年その日がやってくると妙に白《しら》けた気分になる。
「あれは名前をとっただけ。本当の『ぼんぼん』はもっとしんみりした祭り。松本じゃ昔から、お盆が来ると『青山《あおやま》さま』と『ぼんぼん』って子供の祭りをやるんだ。今でも古い町内会とかじゃやってる。男の子供が御輿《みこし》担《かつ》ぐのが『青山さま』で、女の子供が赤い提灯《ちょうちん》もって浴衣《ゆかた》着て歌うたいながら練り歩くのが『ぼんぼん』――」
一応は、松本生まれ松本育ちの高耶だ。今の団地に移る前は、由緒《ゆいしょ》ある町内会のあるところに住んでいたから『青山さま』や『ぼんぼん』にも馴染《なじ》みがある。
「ぼんぼんってのは、こういう歌だ。〝盆々とても、今日明日ばかり。あさってはお嫁のしおれ草〟……」
〝しおれた草をやぐらにのせて
下から見れば、ぼたん花
ぼたんの花は咲いても散るが
情けのお花は今ばかり
情けのお花　ホイホイ〟
高耶が口ずさんだ歌は、確かに先ほど更衣室で聞こえていたあの哀調《あいちょう》を帯びたメロディだった。

「白い浴衣姿なら、白装束《しろしょうぞく》に見えないこともない。でもなんでこんなとこに？」

しかも着るものをびしょ濡《ぬ》れにするというのは、一体どういうことだ。

ふたりは中庭に立つ銀杏《いちょう》越しに体育館のほうを見た。

「……呼び出してみっか。放課後」

「霊をか？　オレはパス。今日バイト」

「ちっ。おまえ、怨霊調伏《おんりょうちょうぶく》とバイトとどっちが大事だ」

「バイト」

千秋はうめいた。昔の景虎《かげとら》なら、即《調伏》と答えただろうに……。

高耶の肩に手を置いて、

「こんなに変わり果てちまって……」

「なんだよ、その憐《あわ》れむような言い方」

「わかったわかった。おまえは小遣《こづか》い稼《かせ》いで来い。俺は幽霊のこと調べるから」

そんなこんなで、千秋と高耶は再び発生した城北《じょうほく》高校の怨霊騒ぎに関《かか》わることになってしまったのである。

＊

本当にあれがあの景虎なんだろうか。

放課後、立入禁止の女子更衣室に忍び込んだ千秋である。

霊が現れるのは女子更衣室だけなので「女性の衣類」に関係あるのかもしれない。と踏んだ千秋は、念のため紗織《さおり》からトレーニングウェアを借りてきた。(現金なもので、高耶が頼んでも「気持ち悪いよ」と応じなかったくせに、千秋が頼んだ途端二つ返事で貸してくれた)ウェアを机に置いて、ロッカーの前に座り込み、コーラを飲みながら、霊が出てくるのを待っている。高耶はとっとと帰っていった。まあ、服を濡《ぬ》らしただけで、今のところ誰に危害を加えたわけではないから、いいのだが……。

あの景虎とはえらい違いだ、と千秋は呆《あき》れ半分に吐息《といき》を漏《も》らした。人間記憶がなくなると、ああも変わってしまうものなのか?

(尤《もっと》も、今のあいつぐらいいー加減なヤツだったなら、ハナから記憶なんか封じてなかったわな……)

千秋からすれば「隙《すき》ありすぎ」な今の高耶が、喜ばしいような悲しいような(遊べる分には楽しいのだけれど)。

一階からは剣道部の掛け声が聞こえてくる。頭上からはバスケのバウンド音が響いてくる。

(直江《なおえ》も大変だ)

と他人事《ひとごと》ながら同情する。あれを一から教育するのは容易なことではないだろう。

いや、逆かな。

と千秋は思った。直江にしてみても、隙だらけの高耶のほうが有り難《がた》いかもしれない。

(あそこまで修復不可能な関係になっちまったら、あとはもう、どっちかが忘れるしかない。

——……そういうもんなのかもな)

三十年ぶりに見つかった上杉《うえすぎ》景虎は松本で高校生をやっていた。松本には正月に「飴市《あめいち》」なる市が立つ。昔は「塩市」と言っていた。この塩は昔、武田《たけだ》が今川《いまがわ》から塩留めされた時、謙信《けんしん》が救援のため塩を送ったという故事《こじ》に由来《ゆらい》するものらしい。

その松本でいきなり信玄《しんげん》が復活とは。

「恩を仇《あだ》で返すたぁこのことだよなぁ」

(武田……か)

景虎は少年期、信玄の養子に入ったことがあったと聞く。

景虎が御館《おたて》の乱で敗れたのは、信玄の子・勝頼《かつより》が同盟相手の北条《ほうじょう》を裏切って、景勝《かげかつ》方に寝返ったのが大きかった。景虎が越後《えちご》の国主《こくしゅ》について、北条勢力に挟まれるのを勝頼は恐れたのだろうが、結局は寝返りが原因で大北条を敵に回すことになったのだ。その後の武田は関東の雄《ゆう》・北条に散々振り回されて消耗《しょうもう》し、最後は徳川《とくがわ》に滅ぼされる運命をたどった。あの時景虎を救援していれば、姻戚《いんせき》関係で結ばれた武田・上杉・北条は、或《ある》いは天下を覆《くつがえ》したかもしれない。

（武田も滅びずに済んだ……かな）

そう思うと、御館の乱は大きな歴史のターニングポイントにも思えた。越後は余所者《よそもの》を国主にせずに済んだが、それが本当に上杉や北条や武田の幸いであったかどうか。

（信玄も武田滅亡《めつぼう》を恨《うら》むんなら、景虎を助けなかったてめえの息子を恨めっての）

その信玄も怨霊となって復活し、今は《闇戦国《やみせんごく》》に参戦したらしい。四百年前の因縁《いんねん》を蒸《む》し返してまた厄介《やっかい》なことになりそうだ。

（ま、俺にはカンケーねえけどな）

気持ちを切り替えた。それより今は例のぼんぼんとやらを歌う霊の正体だ。蘭丸《らんまる》が残していった罠《わな》である可能性もないわけではない。

（景虎がいないほうが、危険には晒《さら》さずに済むか）

飲み干したコーラの缶を床に置いたときだった。ひやり、と背中が急に冷たくなった。

（来る……ッ）

掛け声やバウンド音に混ざって、どこからか微かに歌声が聞こえてきた。間違いない。女の子供の声。さっきの声だ。

机に置いてあった紗織のウェアに染みが出来、じんわりと全体に広がっていく。みるみるうちにウェアはびしょ濡れになった。

霊が来ている。

更衣室の隅っこにボウッと白い影が現れた。千秋は目を凝《こ》らした。赤いぼんぼりのような物が見えた。次第に鮮明になっていく。

あれか……？

白い着物を着た女の子……。

十歳をひとつふたつ越えたくらいの女の子だ。振《ふ》り袖《そで》姿にたすきがけ、赤いほおずき提灯を手に提《さ》げている。これか。例のぼんぼんとやらの祭りの恰好《かっこう》。

「君は誰」

千秋は死者に問いかけた。

「なぜ人の服を濡らす？　なにか伝えたいことがあんなら聞いてやるぜ？」

蒼白《あおじろ》い虚《うつ》ろな顔で、少女は千秋をぼうっと見ている。

よく見れば、少女の着物もぐっしょり濡れて、裾《すそ》から水が滴《したた》っている。

少女の口が、金魚のように丸く開いた。

（え……っ？）

少女が発した言葉に、千秋は目を見開いた。

《お姫さん……呼んでる……》

呼んでる？

だれが？

《――お姫さん…お城で……呼んでる……》

＊

「よ、仰木《おうぎ》ーっ！」

ガソリンスタンドでバイト中の高耶のもとに見慣れた顔がやってきた。夜八時過ぎ。通りで一際煌々《ひときわこうこう》と眩《まぶ》しいスタンドに、銀のスクーターで滑り込んできたのは矢崎《やざき》だった。

「よう。おまえ原チャリ買ったの？」

「まあね。自転車よりラクだしさ。いま集金の途中。満タンよろしく」

高耶は慣れた手つきで給油口の蓋《ふた》を開けるとタンクのガンを引き寄せ、手際よく給油を始めた。感心そうに見ていた矢崎が、

「そういやさ、例の女子更衣室の幽霊。ぼんぼんの歌うたってるんだって？」

高耶たちの他にも歌を聴いた生徒がいるらしい。

「なんか気になることでも？」

「うー…ん。てかさ、城北の辺りって昔、沼地だったらしいんだよな」

沼地？　とガソリンの雫《しずく》がたれないように器用にガンの先をすくい上げて、高耶が聞き直し

た。

「ああ。昔さ、女鳥羽《めとば》川って今よりもっと北側流れてたんだって。松本城の守りにするため、わざわざ南に迂回《うかい》工事したんだと」

「いつの話だ。それ」

「江戸《えど》時代かなあ。昔はさ、ガッコの横っちょ流れてるちっちぇ川あんじゃん。大門沢川。あのへん流れてたんだって」

そういえばあのあたりの「深志《ふかし》」という地名も「深瀬《ふかせ》」、つまり湿地帯を表す言葉だというのを高耶も昔何かで聞いたことがある。

「沼地の名残《なごり》で池がぽつぽつあったらしいんだけど、住宅地にするためにずいぶん埋めたらしいんだな」

向かいのじいちゃんが言ってたから間違いねーよ、と矢崎が言う。

「で、俺の推理なんだけどさ。その女の子、城北高校つーか旧制中学の頃だろーけど、それが建つ前にあった沼で溺《おぼ》れ死んじゃったりした子なんじゃない？　ぼんぼんの歌うたうのは、あれだ。ちょうどぼんぼんの日にさ、沼に落ちたかなんかして死んじゃったとか」

「そっか。そんなら女子の服が濡れるってのともつながる」

「だろ？」

沼だった頃から元々いた地縛霊《じばくれい》が、加助《かすけ》の騒動に刺激されて活発になってきたのかもしれない……。

そんな高耶の推理を中断させるように、バイトの先輩に大声で呼ばれた。客の車が入ってきたのだ。誘導に出ようとして高耶はギョッとした。見覚えのある宇都宮《うつのみや》ナンバーの日産車《にっさんしゃ》だ。車は自分から高耶のほうに入ってきた。

「ハイオク満タンで」

運転席から顔を覗《のぞ》かせた黒いスーツの男に、高耶は腰を抜かしかけた。

「げ！　直江！」

「こんばんは。高耶さん」

「おおおおまえ、また来やがったのかよ！」

黒スーツに身を固めた、葬式帰りかボディガードか、という出《い》で立《た》ちの、なかなかに禁欲的な風情《ふぜい》を持った男前だ。大の大人の客を「おまえ」呼ばわりしている高耶に、矢崎は目をぱちくりさせている。

「上田《うえだ》に行ってたんです。真田《さなだ》領《りょう》で武田がらみの動きがあったんで監視です」

「怪我《けが》は」

「もう抜糸も済みました。せっかく上田まで来たんで顔を見に来たんです。三才山《みさやま》トンネルを通れば松本はすぐですから」

「あんた、宇都宮だろ。怪我人は寄り道しねーで素直に18号で帰れよ」

「そんな。ここまで来てあなたの顔を見ないなんて勿体《もったい》ない」

「仰木、その人だれ？」

高耶と直江は声を揃《そろ》えて「いとこです」と答えた。年下に「さん」付けするいとこなど聞いたことがない。

「夕食まだなんです。バイト終わるまで待ってますから、つきあってくれませんか」

よければそちらのご友人も、と言われて矢崎は「はい！」と挙手した。高耶は額を押さえて「ううう」とうめいた。

＊

そうしてバイトが終わるまでの四十分間。直江は向かいのファミレスで矢崎と話し込んでいたらしい。スタンドのユニフォームから学校の制服姿に戻った高耶がやって来ると、二人は食後の珈琲《コーヒー》を前にすっかり打ち解けていた。

「おまえら、なに悪い話してやがった？」

「人聞き悪い。世間話ですよ」

高耶の学校生活をさんざん矢崎から聞き出していたらしい。高耶は矢崎を押し込むようにして、乱暴に座り込んだ。

「おまえらサイアクだ」

「それより話は聞きました。また幽霊騒動が起きてるそうですね」

「そのことなら千秋が……」

と言いかけて高耶は一旦《いったん》口をつぐみ、「千秋…も見たとか言ってる」

「へえ。橘《たちばな》さん、千秋とも知り合いなんスか」

「ぼんぼんを歌うそうですね」

神妙な顔つきになった直江の表情が、わずかに翳《かげ》るのを高耶は見て取った。

「なんか、あんのか?」

「いえ。ちょっと気になることが。ぼんぼんの歌詞の意味です。知ってますか」

「ええと。〝盆々とても今日明日ばかり。あさってはお嫁の……〟つまりお盆は明日までだから——」

「そう。多分その歌は昔の嫁の心境をうたった歌だと思います」

お盆で実家に里帰りした嫁の心境だ。昔は盆や正月などの節目に、実家の両親へ贈り物として食物などを携《たずさ》えて里帰りする慣習があった。

「嫁というものは夫方の家に入りきることと思われがちですが、昔は田植えや養蚕《ようさん》の手伝いなどもあって、頻繁《ひんぱん》に里帰りしていたものです。この歌は多分、嫁と姑《しゅうとめ》の関係を歌ったんじゃないかと私は思います」

「要するに、実家で羽を伸ばしたけど、旦那《だんな》んとこ戻れば姑の嫁いびりが始まるから気が重いと？」

「そんなところかもしれませんね。あくまで私の読み方ですが」

注文をとりに来た店員に、粗挽《あらび》きペッパーステーキを頼んで、高耶はコップの水を飲んだ。

「その嫁いびりの歌詞がなんだって？」

「実はこの歌にはもうひとつの解釈《かいしゃく》があるんです」

あ、と矢崎が声をあげた。高耶を押しのけ、

「あれスか？　あの怪談系」

「なんだよ。怪談系って」

「この歌は松本城《まつもとじょう》の人柱《ひとばしら》になった女の歌じゃないかというんです」

思わず固まってしまった高耶である。

「またまたそんな……」

「いや、ほんと！　俺もガキん頃、近所のばーさんから聞いたことある。松本のぼんぼんは、人柱になった城の女の人を慰《なぐさ》めるためにうたわれるって」

「うそつけ。大体あの歌詞のどこが」

「キーワードは〝やぐら〟です」

二杯目の珈琲をすすりながら、直江が言った。

「〝しおれた草をやぐらにのせて〟。櫓《やぐら》というのは城の高楼のこと。そしてまたの意味は、人身《ひとみ》御供《ごくう》を出すときに、生《い》け贄《にえ》を載せた桟敷《さじき》のことでもあるんです」

「人身御供？」

「ええ。龍神《りゅうじん》への人身御供。女鳥羽《めとば》川が元々松本城の北を流れていたのを知ってますか。そう。流れを人為的に迂回《うかい》させる前は、あの城は女鳥羽川と奈良井《ならい》川の扇状《せんじょう》地帯にあったんです。扇状地は湿地になりやすく、また川が不安定で水害を起こしやすい……」

城を築くためには、治水が必要不可欠だった。

「城や堤防を築くのに人柱を立てる。そういうことがあったとかなかったとか。治水を祈念《きねん》して、水の神に生け贄を差し出すというのが、人柱、という考え方だったようです」

「あんたも見たのか？」

「いいえ、私は。この目で見たわけではありませんが、そもそも人柱などというものは衆目《しゅうもく》の前で立てるものでもありません」

矢崎がまた不思議そうに二人を見ている。

「松本城の天守閣《てんしゅかく》を建てたのは、武田《たけだ》の次に入った石川《いしかわ》氏だったと聞きます。不安定な湿地帯にあれだけ大規模な建物を建てるのは容易ではなかったはずです。その天守閣のために、人柱を立てたという風評が存在していたようなんです」

「それじゃあの歌は、里帰りなんかじゃなくて」

「そう。人柱に立てられる前の悲痛な心境を唱った歌。嫁というのは人身御供——水の神の嫁となるという意味なんです」

「マジかよ……」

「水の神とは龍神。或《あ》るいは川を意味する大蛇《だいじゃ》。その嫁とはすなわち生け贄です」

高耶はちょっと寒気がしてきてしまった。

「尤《もっと》も、人柱というのはある種の築堤法《ちくていほう》や工法を指すものであって、実際に人を埋めたりすることはなかったとも言います。まあ実際私もこの目で現場を見たわけではありませんし」

「じゃあじゃあ、こういうことスか。ぼんぼんうたう女の子の霊は、人柱になった女？」

身を乗り出してくる矢崎を押しのけて、高耶が言った。

「考えすぎだろ。オレはあの場所が沼だった頃に溺《おぼ》れ死んだ子だと思う」

「いいや！　人柱だ。絶対そうだ！」

「おめーうるっせーんだよ！」

直江は珈琲をすすりながら苦笑している。

「何にしても霊査《れいさ》してみないことには。帰りにまた学校の方に寄ってみましょう」

＊

集金途中だった矢崎は「やべー。親に叱《しか》られる」と言って帰っていった。高耶は直江と共に城北高校に舞い戻った。

「どうだ？　なんか感じるか？」

「この間の加助《かすけ》の時ほどではありませんね。しかし何かいるのは確かなようです」

暗い校舎を見上げていた高耶がチラリと直江を睨《にら》みあげ、

「どーでもいいけど、あの事件のせいで、オレ、学校荒し扱いされてるんだけど」

「普段の行いの賜物《たまもの》でしょう」

「おまえ……」

イヤミ健在である。

「それより気になるものが」

と言って直江が後ろの通りを指さした。つられて振り向いた高耶は目を剝《む》いた。

「あれは……ッ」

提灯《ちょうちん》行列だ。

いや、人間の姿は見えない。提灯の明かりだけがポツポツと行列を成し、人気《ひとけ》のない暗い通りを松本城の方角に向かって進んでいるのである。

「ぼんぼんの時の提灯……。まさか」

立《た》ち竦《すく》んでいる高耶の傍《かたわ》らで、直江は険しい顔になり、

「本命は松本城かもしれません」

化け物提灯の行列は延々と城に向かっている。

「歌だ……」

高耶の耳にも聞こえてきた。物悲しいメロディ。ぼんぼんの歌だ。うたう人間の姿は見えない。だが大勢の歌声が暗がりから聞こえてくる。

「やっぱりこいつぁ……」

「お姫《ひい》サンが呼んでるんだとよ」

背後からだしぬけに声をかけられて、高耶は飛び上がるほど驚いた。振り返ると、そこにいたのは私服姿の千秋である。

「なんだ、直江。おまえ、また来やがったのかよ」

「どういうことだ。姫が呼んでいるというのは」

「さあな。女子更衣室に出る子供の地縛霊がそう言ってたんだ。お城から姫様が呼ぶんだと」

「姫様？　まさか三条《さんじょう》の方《かた》のことじゃ」

信玄の霊を復活させた張本人だ。信玄の正室で、子孫である武田《たけだ》由比子《ゆいこ》に憑依《ひょうい》した。

「でも三条夫人は《調伏《ちょうぶく》》したはずです」

「どこのどいつにしろ、お城にいるってのは確からしい。松本中から化け提灯を呼び寄せてやがる」

提灯行列は延々と、住宅街の一方通行路を逆手《ぎゃくて》に、松本城へ向かって進んでいく。高耶たち三人は行列と一緒に歩いてみることにした。旧開智《かいち》学校の横を経て、思った通り、行列は松本城へと吸い込まれていく。

この時間、城は閉門中だ。深夜とあってさすがにライトアップも終わっている。化け提灯の行列はお堀にかかる「埋《うずめ》の橋」と呼ばれる赤い欄干《らんかん》の橋を渡って、門の中へと吸い込まれていく。

天守閣を見上げると、ちらちら、と窓の内にも鬼火《おにび》のようなものが認められた。

「行ってみましょう」

「あ……おい！」

直江はかまわず橋を渡り始めた。門は念動力《ねんどうりょく》で容易に開けられた。セキュリティ設備も簡単に念で切って、直江たちは中に足を踏み入れた。

「これは……」

二《に》の丸御殿跡《まるごてんあと》にはたくさんの蒼白《あおじろ》い化け提灯が集まっている。なかなかの壮観だ。何百という数の提灯が、広大な芝生の上に、ふわふわと浮いているのである。何か祭りでも始まるのかとでもいうような風情《ふぜい》だ。反対側の黒門《くろもん》の方からも、途切れることなく提灯行列がやってくるのが見えた。

「おい、直江。あれ！」

見上げると、この時間はとっくに閉まっているはずの天守閣の最上層の窓が開いている。人影がある。

「おんな……？」

髪の長い女のように見えた。ぼうっと蒼白く浮かび上がるところを見ると、生きた人間ではないらしい。打ち掛けをまとった戦国時代の姫君のように見えないこともない。

「おい、てめえ一体……！」

「高耶さん！」

乱暴な高耶の威嚇《いかく》に驚いたのか。

天守閣にいた人影が、ろうそくの炎を吹き消すように消えた。それと共に、二の丸御殿跡に集まっていた提灯どもも、一斉《いっせい》に消え始めたのである。

みるみるうちに暗闇《くらやみ》に戻っていった。

「呼んでいる姫君というのは、どうやら今の人影のことのようですね」

高耶たちは険しい顔になった。いったい何者なのだろう。

(ぼんぼん行列を呼び寄せる「姫君」かよ)

どうやらまた新たな面倒ごとが、この松本で起き始めているようである。

3

その夜、直江《なおえ》は結局松本《まつもと》に一泊し、翌日高耶《たかや》たちが学校に行っている間に、松本城の霊査《れいさ》を行うことにした。

たまたま五、六時間目の芸術が休講になり、高耶は昼下がりの松本城で直江と落ちあった。

「よう。どうだった」

「一通り見てみましたが、やはりちょっとおかしいですね」

藤棚《ふじだな》の下のベンチにいた直江はお堀の向こうの天守閣《てんしゅかく》を見上げた。団体観光客が数組来ているらしく、橋のそばの雛壇《ひなだん》の上で記念写真を撮っている。こうして見ている分には、いつもの「観光名所・松本城」なのだが……。

「強い霊の存在を感じます。以前にはなかった気配です」

「やっぱりな。三条《さんじょう》の方《かた》が生き残ってるって線は？」

「いえ。それは消えました。どうやら別の霊です。加助《かすけ》の影響というよりも、先日の信玄《しんげん》たちの騒ぎが刺激になったようですね。もしくは元々城に棲《す》まう霊が、三条たちから排除されるのに抵抗して活発化したのかもしれません」

「元々城に棲む霊……。てことは、やっぱり」

人柱《ひとばしら》……か？

足元で餌《えさ》をつついていた鳩《はと》の群れが一斉《いっせい》に飛び立った。その向こうに堂々とそびえる、烏城《うじょう》と呼ばれる黒い城。どんよりとした雲の下、晴れていれば瓦《かわら》が光って眩《まぶ》しいほどだが、今日は戦国の威風《いふう》を残したその姿が、いっそう重々しく見える。

「松本城の歴史は古いですし、他にも色々あったかもしれません。問題はその〝姫君〟が何をしようとしているかです。事によっては《調伏《ちょうぶく》》することも」

「ぼんぼん行列か……。それにしても時期はずれだな」

藤棚の柱に寄りかかって、水を湛《たた》えた堀をスイと横切る白鳥を目で追った時である。どこやらから救急車のサイレンが近づいてきて、俄《にわか》に辺りが騒然としてきた。救急車は二《に》の丸《まる》のほうに入っていったらしい。城の中で病人でも出たのだろうか。

続いて橋の方から泣きわめく女の声が聞こえてきた。ＯＬ風の観光客だ。何か口々に騒ぎながら逃げるように戻ってくる。

「やだやだ。こんな怖いお城二度と来たくないよ～」

ピンと来た高耶はＯＬたちのほうに駆け寄っていった。

「中でなんかあったんスか」

「階段で事故が起きたんです！」

泣きはらした若い女が高耶に恐怖を訴えた。

「団体の観光客の人たちが何人か折り重なるみたいに階段から落ちてしまって」

「なんだって」

松本城の階段は急なことで知られている。垂直に近いその角度は、一見危険だが、手すりや滑り止めも施されているし、その分慎重に上り下りするので普段はそうそう事故は起きないのだが。

「この子が見たって言うんです。上の人を突き落とした白い手を」

「白い手？」

「女の人の手首です」

目撃したＯＬは唇《くちびる》まで真っ青だった。

「手だけが見えたんです。怖かった。あの城、浮かばれない女の人の霊がいます。誰も来るなって！」

高耶は直江と顔を見合わせた。

＊

幸《さいわ》い死者は出なかったが、階段から落ちた人の中には腰の骨などを折った者もいたらしい。最初に落ちたという被害者は誰かから突き落とされたと証言していたのだが、後ろに誰もいなかったことは他の観光客が確認ずみだったのである。

霊の仕業《しわざ》であることは、ほぼ疑いなかった。

事前に食い止められなかったことを、直江は悔《く》いていた。

「申し訳ありません。私が調査した時に予兆を感じ取れればよかったのですが……」

女鳥《めと》羽《ば》川沿いにある「なわて通り」の四柱《よばしら》神社で、高耶たちは千秋《ちあき》と落ちあった。気落ちする直江に千秋が、

「いや昨夜は害意を感じなかった。俺たちが動いたんで、お姫さんとやら、ピリピリしてんのかもしんねえな」

たいやきをほおばりながら渋い顔をしている。ともかく、あんな急な階段で突き落とされたら死人が出ないとも限らない。

「エスカレートする前になんとかしとかねえとヤバイ。今夜やるしかねえな」

社殿の階段に座り込んで頰杖《ほおづえ》をついていた高耶が、直江を振《ふ》り仰《あお》ぎ、

「おまえは無理すんなよ。怪我《けが》してるし。オレと千秋で何とかする」

「私なら大丈夫です。それに、あなたが今度も《調伏力》を使えるとは限りませんし」

「心配すんなよ。きっといざとなりゃ、蘭丸《らんまる》ん時みてーに《調伏》できるって」

高耶は楽観的だが直江はいまいち心配であるようだ。

「わかりました。でも補佐はさせてください。足手まといにはなりません」

夜中の十二時、松本城の黒門《くろもん》前。

そう約束して、高耶たちは再び怨霊《おんりょう》調伏のため、松本城に赴《おもむ》くことになったのである。

＊

湿度があがっているのか、夜中の街は妙に生温《なまぬる》い風が吹いていた。

松本城はライトアップの時間も終わり、烏城と呼ばれた黒い偉容《いよう》もすっかり闇《やみ》に溶け込んでいる。私服に戻った高耶と千秋は堀端《ほりばた》に立ち、天守閣を見上げていた。

「かなり霊気が高まってますね」

黒門の方から戻ってきた直江が横に並んで言った。城が暗くなると、霊も活発になってくるらしい。昨夜と同じだ。天守閣の中で鬼火《おにび》が舞っている。

「さぁて。今夜もおいでなすったぜ」

提灯《ちょうちん》行列がやってきた。

ふわふわと提灯だけが列をなし、哀調《あいちょう》を帯びた歌と共に、城の中に吸い込まれていく。

「やっぱり、ぼんぼんの歌、か」

「気をつけてください、景虎《かげとら》様。霊の中には強い霊力者を敏感に嗅《か》ぎ分けて嫌う者もいます。こちらが興奮すると姿を隠す場合もあります。どうか気持ちを荒立てないよう」

「中に入るぞ、景虎」

提灯行列と一緒に三人は門の中に入った。二の丸御殿跡に集合した提灯の数は、昨夜よりもさらに増えている。

〝盆々とても今日明日ばかり
あさってはお嫁のしおれ草〟

〝しおれた草をやぐらにのせて
下から見ればぼたん花《はな》……〟

「女の声だ……」

高耶の耳は敏感に聞き取っていた。

「若い女だ。天守閣から聞こえる」

まるで城自身が歌っているかのようだ。

高耶たちは用心深く、提灯の列の中に分け入って天守閣へと近づいていく。石垣の前に立って見上げると、……やはり、いた。天守閣の最上層に蒼白《あおじろ》く浮かび上がる人影がある。

「！」

提灯行列に動きがあったのは、歌が止まったそのときだった。

風が巻き起こった。何かの群れのように提灯が、天守閣に向けてゴワッと突進しだしたのだ。雲霞《うんか》のごとく提灯たちが石垣を一斉によじのぼる。アッと思った時には、一個一個の提灯が火を噴《ふ》いて燃え始めたではないか。

「おい！　火が……！」

いけない。提灯の群れが勢いよく燃えだした。欄干《らんかん》のところで木戸の下で、火があふれ出したのである。

（ヤバイ、燃え移る！）

「クソッ……そういうことかよ！」

化け提灯が次々と松本城に群がり始めた。

目的は「火」だ。

ぼんぼん行列を呼んだのはこのためだ。霊は火を呼んでいたのだ。

この城を今度こそ焼くつもりだ……！

「千秋、念で払い落とせ！　火を近づけるな！」

「ち！」

城に群がる化け提灯を、千秋たちは念で次々と撃ち落としていく。物凄《ものすご》い数だ。落としても落としても次から次へと湧《わ》いてきてキリがない。業《ごう》を煮やした高耶が根を絶たんと飛び出した。

「景虎様！」

城の玄関へと駆け上がり、閉じた木戸をこじあけた高耶は、一緒に入り込もうとする提灯を手で払いのけつつ、中に体をねじ込んだ。

「おまえたちは提灯どもを退治しろ！　オレはあの霊を退治する！」

「待ってください…あなたはまだ《調伏》が！」

戸が閉められてしまった。舌打ちして直江は、木戸に群がる火を猛然と払い始めた。

高耶は天守閣内に足を踏み入れた。

真っ暗だ。照明はすべて消え、雨戸もすべて閉じてある。

「……いるんだろ。お姫サンとやら」

凄《すさ》まじく濃い気が溜《た》まっている。

城の中の記憶を頼りに高耶は、床をぎしりと踏んで階段の方角へと歩き出す。城の中は霊気が満ちて緊張感もただごとではない。

ぼうっと前方にうっすらと明かりが見えた。

鬼火《おにび》だ。

（なんだ？）

高耶はその明かりを頼りに城内にあがりこんだ。鬼火はまるで高耶を招くように、階段のあたりを照らし出す。

（誘ってやがる……）

昼間の転落事故を思い出して、一瞬登るのをためらったが、落とされたときはその時だ、と思い直し、急な階段をあがり始めた。

上層に行くに従って、空気がさらにひんやりと冷たく重くなる。霊がいる気配とやらを、いい加減、高耶もわかるようになってきた。

つう、と首筋に汗が伝う。

「！」

いきなり首に冷たいものが巻き付いてきて、ギョッとなった。人の腕だった。やけに湿った白い腕が、高耶の首を絞《し》め上げてきたのである。

「ぐ……っ！」

腕を引き剝《は》がそうとして、そのあまりの冷たさにギクリとなる。氷水にでも浸《つ》かっていたかのようだ。絞め上げている人間を捕まえようとして後ろに手を回すと、見事に空中を空振りした。上腕部がなかった。

「く……そッ、はなせ……！」

力一杯引き剝がそうともがきまくる。と、唐突に腕が消えて、思わずたたらを踏んだ。驚いて掌《てのひら》を見ると、びっしょり濡《ぬ》れている。

「なんなんだ……」

鬼火は階段のうえにいて、高耶を待っている。こちらを試しているようだ。

(畜生《ちくしょう》、行ってやろうじゃんかよ)

最上層に登るまでに何度か「白い腕」の妨害を受けた。その都度なんとか振り払ったが、おかげで気がつくと上半身がびっしょり濡れてしまっている。

女の歌声が聞こえてきた。

「……来たぜ、お姫さんとやら」

格闘の挙げ句、最上層へと至る階段を登りきった高耶である。

櫓《やぐら》の隅に、青白い影がボウッと佇《たたず》んでいる。

「ぼんぼん行列なんか集めて何すんの。盆休み気分でも味わおうってのかい？　なんか言いたいことあんなら聞いてやるぜ。ああ？」

歌が止まった。

白い影が振り返った。

(子供？)

若い女だと思ったその顔は、意外にも、まだ十歳ほどの子供のものだった。髪が長く、真っ白な打ち掛けのようなものを纏《まと》っているので姫君のように見えたが、童女なのだ。それにしても異様な風体《ふうてい》だ。純白の打ち掛け姿とやらも珍しいが、その長い黒髪は濡れて海藻のように張り付き、全身ずぶ濡れで、目元には蒼白い隈《くま》をたたえ、うつろげにこちらを見つめている。

霊という存在に、まだあまり馴染《なじ》みのない高耶は、あらためてその不気味さに震え上がった。

（やっぱ怖ぇ……）

竦《すく》み上がりそうになる我ながら小さな肝《きも》っ玉《たま》を高耶は鼓舞《こぶ》した。

「――……あんた、こんなとこで何してんだ。成仏《じょうぶつ》もしねえで、なんかこの世に未練でもあんのかよ。心残りがあんなら聞いてやるぜ」

《オ……水……》

え？　と高耶は聞き返した。言語というほど鮮明なものではない。加助の時と同じだ。今のは《思念》というやつだ。

「水？　水が飲みてーのか？」

《オ水……来ル……怖イ》

その子供の霊がおびえきっていることにようやく気がついた。

「水が来る？　どういうことだ。あんた、城のお姫さんじゃねえな？　殿様の子供とかそういうヤツでも」

《タスケテ……》

子供の霊がこちらに近づいてくる。

「お……おいッ」

《山カラ……オオ水ガ……来ル！》

「！」

背後が階段で逃げ切れなかった。霊の手が自分の胸の辺りに吸い込まれるのを高耶は見た。その場所から途端に砂を詰め込まれたような感触が広がって、思わず歯を食いしばった。

「ぐ……あ！」

霊体が高耶の体の中に入り込んできた。拒《こば》むこともできなかった。経験したことのない猛烈な違和感に高耶はもがき苦しんだ。

（これが憑依《ひょうい》なのか……！）

たまらず床に膝《ひざ》をついた。体の中で何か小魚の群れでも泳ぎ回っているようだ。霊が入り込むとはこういうことなのか。譲《ゆずる》の時もこうだったのか！

体の中に別の意識の気配を感じる。追い出そうと必死に抗《あらが》った。

（くっそ！　体とられてたまっかよ！）

何かが高耶の意識に触れたような感触がした。そこから皮を破くように何かが侵入してくる。イメージだった。奇妙なイメージが意識の中に流れ込んでくる！

（これ……は？）

どこかの山村のようだった。凄《すさ》まじい音とともに川から鉄砲水《てっぽうみず》が押し寄せてきて、橋を壊し、堤防を崩し、村の人々を押し流していく。野良着《のらぎ》を着た人々は明らかに今の時代の人間ではない。もうひとつの意識が叫ぶ。

おとう！　おかあ！

濁流《だくりゅう》が迫る。怒濤《どとう》の勢いで流れ込んできた土砂がついに視界を奪っていく。逃げようとして思わず体が動いた。だが逃げ切れない。

凄まじい勢いで呑《の》み込んでいく。

「う、うわあああ！」

「景虎様！」

声があがった。高耶を追ってきた直江だった。階段を一気に駆け上がってきた直江が、天守の最上階でうずくまってもがき苦しむ高耶を見つけた。

「しっかりしてください、景虎様！　……ッ。これは！」

高耶の中に霊が入り込んでいる。察知した直江はただちに除霊しようと動きかけたが、

「待て、直江……！」

制止したのは腕の中にいる高耶である。

「吹き飛ばすな、このままでいい……ッ」

「しかし！」

「もう少しで摑《つか》めるんだ……ッ」

苦悶《くもん》の中から高耶が怒鳴った。

「こいつの正体、もう少しで摑めるんだ！」

「景虎！」

再び階段口から声があがる。化け提灯どもを一掃して、あとから追いついた千秋だった。うずくまる高耶を見た途端、状況を察したらしい。高耶の苦悶を見ていられず除霊に及ぼうとする直江を、今度は千秋が止めた。

「待て！　こいつ、憑依霊の意識に同調しようとしてる」

無意識だった。

体の中に入り込んできた子供の霊から、高耶は読みとろうとしているらしい。内奥の記憶を。

直江はその様を見て茫然《ぼうぜん》とした。

「高耶さん……」

床にうずくまって体の中の霊と対話していたらしい高耶が、ようやく顔を起こした。汗びっしょりになって、ひどく消耗《しょうもう》していたが、高耶の口元にはなぜか笑みがのぼっていた。

「……そー…なのかよ。だったら、エンリョしねーで、言やいーんだよ……」

「高耶さん……？」

「直江、千秋。今からオレの中から出てくる霊な、成仏してーんだってよ。《調伏》してやってくれ」

「浄化を望んでいるんですか？　その霊は」

「ああ。だけど、この城に呪縛《じゅばく》されちまって成仏しようにも……できねーらしい。根ぇ断ってやるには、《調伏》くらい強い力じゃねえと…無理だから……」

肩で荒く息をしながら、うずくまっていた高耶は肩越しに千秋を見た。

「……せーのッで押し出すから、おまえたちは《調伏》しろ。オレはこのコ覆《おお》ってる呪縛を断つ。直江、おまえは真っ正面に霊魂とらえて《調伏》だ。そーとーしつこい鳥もちがくっついてっからな。同時でなきゃ断てねえ。遅れんな」

（景虎様……）

記憶もまだ戻っていないはずなのに。

姿も口調も、かつての景虎を彷彿《ほうふつ》とするものは何もないはずなのに、高耶の言動は日を重ねるにつれ、確実に――ますます景虎と重なっていく。

高耶は大きく息を吸い込んだ。腹に全身の力を溜めこむように一旦《いったん》手足を縮こまらせると、体の奥のものを吐き出すように一気に腕を突っ張らせた。

「せーの……！」

高耶の中から白い影が押し出された。純白の打ち掛けを羽織る、子供の霊だ。勢い余って宙に舞う霊体を捉《とら》え、すかさず直江が印《いん》を結ぶ。

「〝𑖪𑖹《バイ》〟！」

「呪縛の鍵《かぎ》は――――！」

高耶が手を伸ばす。

「この白い衣だ！」

いいざま、高耶が打ち掛けの後ろ襟《えり》をつかんだ。衣がバリバリバリと火花を発した。すさまじい拒絶反応だ。やはりただの衣ではない。子供の霊が悲鳴をあげる。高耶は羽織を離さず、引き剝ごうと力をこめた。

「千秋！」

「わかってる！　〃𑖪𑖹《バイ》〃！」

衣を半分まで剝ぎ取った。外《げ》縛《ばく》術は霊体の動きを封じると同時に《調伏》に邪魔な不純物を除くことが出来る。高耶はなお、火花にまみれながら、その子から衣を剝ごうと力の限り引っ張った。

「景虎様！」

「この子を城に縛《しば》り付けてるのはこの白い衣だ！　いい！　このまま《調伏》しろ！」

「のうまくさまんだ　ぼだなん　ばいしらまんだやそわか！」

直江と千秋が同時に唱える。両者の体から色彩のある陽炎《かげろう》が立ち上っていく。

「南無《なむ》刀《と》八《ばつ》毘《び》沙門天《しゃもんてん》！　悪鬼《あっき》征伐《せいばつ》！　我《われ》に御力《おんちから》与えたまえ！」

強いエネルギーが二人の印に集まって眩《まぶ》しい球を生みだした。みるみる白熱の塊《かたまり》となり、その密度が頂点に達したとき、二人は同時に唱えた。

「《調伏》！」

光球が破裂した。一気に炸裂《さくれつ》した猛々《たけだけ》しい白光が櫓《やぐら》一杯にほとばしり、子供の霊を高耶ごと飲み込んだ。白い衣は子供を成仏させまいと《調伏力》に激しく抵抗し続けたが、高耶はそうはさせるかと歯を食いしばって、一気に衣を剝ぎ取った。

「おらあ！」

ひいいいいいい！

耳をつんざくような悲鳴が轟《とどろ》いた。衣が霊から完全に剝ぎ取られた瞬間、直江と千秋が放つ《調伏光》はアッという間にすべてを呑み込んでいってしまった。

容赦《ようしゃ》ない光が渦《うず》を巻きながら収束していく。鳥の羽ばたきのような音を残して、場は再び暗《くら》闇《やみ》へと戻っていった。

《調伏》は完了した。

「景虎様……！」

調伏力は、肉体持ちの換生者《かんしょうしゃ》には効《き》かないとはいえ、そのエネルギーをまともに浴びるのはやはり強烈だったらしい。床に膝をついて高耶は荒く呼吸している。

「大丈夫ですか」

「……ああ」

「それは？」

高耶の手の中に一枚の古びたお札《ふだ》がある。

「どうやら、あの白い衣の正体のようだな」

記号と文字らしきものがあわさったそれは、修験道《しゅげんどう》系の霊符《れいふ》であるようだ。

「……この子を成仏させせなかったのは、このお札だ」

「なんですって」

「あの子は……」

と言って高耶はその札を握りつぶした。

「この城の人柱《ひとばしら》だったんだ」

＊

城の下にあれほど溢《あふ》れていた化け提灯たちも、すっかり消えてしまっていた。

二の丸御殿跡は、静寂《せいじゃく》を取り戻している。

城から出てきた高耶たちは、堀端の藤棚《ふじだな》の下に戻ってきた。

星空を背負って、松本城は何事もなかったかのように堀の向こうで静かにそびえている。堀端にしゃがみこんで見上げていた高耶がふと視線を転じると、水を張った堀にはやせた月の姿が映っていた。小石を投げ込むと、波紋が月を歪《ゆが》ませた。

「あの子は、昔、女鳥羽川の上流で起きた鉄砲水に流されて死んだ霊だったんだ……」

傍《かたわ》らに立っていた直江が高耶の横顔を見下ろした。

「鉄砲水で？」

「ああ。ここに城ができる一年ほど前の話だそうだ。流されて流されて、どうやらこの場所に遺体が流れ着いたらしい。築城の土木工事で遺体が見つかったんだ」

〝お姫様〟なるあの霊が頭からびしょ濡れだったのは、鉄砲水に流されて溺死《できし》したためだった。

遺体が発見されたのは、築城に関《かか》わる人足《にんそく》達が次々と事故にあい、どうしたものかと困っていた矢先のことだった。それはどうやら供養《くよう》を求める水害犠牲者の祟《たた》りだろうと。そう判断した王《おう》ヶ頭《とう》の修験者が、彼女の霊を祀《まつ》り、城の守り神とすることを築城主に勧めたのだという。

「なるほど……。あの札は供養札とは名ばかりの呪縛札だったわけだ」

と千秋は頷《うなず》きながら、藤棚の柱にもたれこんだ。

「この場所から出てきた亡骸《なきがら》は白装束《しろしょうぞく》を着せられ櫓に載せられ、なんらかの法を受けたらしい。その修験者がどんな術を施したかはわからないが、あの子の亡骸もこの札と一緒にどうやら城の土台に埋められたようだな」

以後、彼女の霊は姫霊《ひめたま》様と呼ばれ、ここで城と城下を水害から守る番人となったのだった。

「番人のしるしがあの白い打ち掛けだった。だけどあの子はそれを脱ぎたがっていた。多分三条の火を浴びて、刺激されたんだろう。ぼんぼん行列を呼んだのは、城が燃えれば自分も解放されると思ったからだ」

かわいそうに、と言って高耶はポケットから百円ライターを取りだし、丸めた札に火をつけた。

観光客を突き落としたのは、危害を加えたというよりは、自分の存在をアピールしたかったらしい。突き落とされたのではなく、驚いて落ちたというのが本当のようだ。

「水の番人なんかより、あの世の両親のとこに行きたかったんだと」

燃えだした札を堀に投げた。精霊流し《しょうろうなが》しのように、炎は水面をしばらく照らし、やがて暗い水の中に消えた。

「生きた人柱じゃなくてよかった…なんて、簡単には言えませんね」

直江も目の前に重々しくそびえる天守閣《てんしゅかく》を見上げた。あの地下に四百年以上、留《とど》めおかされた魂《たましい》がいる。

「この国にはきっと、まだまだたくさん、そういう人々がいるかもしれません……」

「いるだろーよ。つい昨日のことみてーにな」

と呟《つぶや》いて千秋はポケットから煙草《たばこ》を取り出すと、小さなマッチで火をつけた。

黒い城は何も語らない。

沈黙する歴史と対話するように、高耶は風に吹かれながらその城を見つめ続けた。

4

翌日の放課後。

城北《じょうほく》高校の体育館裏にて、植え込みの脇《わき》を、スコップでせっせと掘り返している者達がいる。

「おい、高耶《たかや》、千秋《ちあき》！　なにしてんの？」

北校舎の廊下《ろうか》の窓からそれを見つけて声をかけてきたのは、部活動に向かう途中の譲《ゆずる》だった。階段を下りて上履《うわば》きのまま駆け付けてみると、高耶たちは額《ひたい》に汗して土を掘り続けている。足元には直径二メートル近い大きな穴ができていて、穴の中にいる千秋などは体が半分隠れている。

「なにしてんの……？　こんなとこで」

「っかしいな。そろそろ出てくるはずなんだがな」

と千秋が首を傾《かし》げている。「おい」と覗《のぞ》き込んでいた高耶が声を上げた。

「あれじゃないか？」

土の中に白いものが見えている。まさか、と青ざめたのは譲だ。

「もしかして、おまえたち、女子更衣室のあの子の骨探してるんじゃ……ッ」

「よっと」

土の中から千秋が白い破片を引っぱり出した。

「これだこれだ。あのコが探してたヤツ」

え？　と譲が聞き直した。千秋は土を払いながら、

「あの子はこれを探して沼に落ちたらしい」

千秋の手の中にあるのは、白い貝殻《かいがら》だ。表面に何か花の絵が描いてある。昔の女性の化粧《けしよう》道具だ。口紅《くちべに》だった。

「あの子、唇《くちびる》にほんのり紅をさしてた。これはあの子の紅だ。ぼんぼん行列に加わるためにって母親が貸してくれた口紅だったんだと」

その貝殻を夜道で落としてしまい、ひとり、探している最中に、沼に落ちてしまったというのだ。高耶が推測した通り、女子更衣室に出没した子供の霊は、昔この場所が沼だった頃、落ちて溺《でき》死した少女だった。

「亡骸《なきがら》は見つかったが、落とした口紅のことがずっと心残りだったんだろうな」

「それでこの場所に……」

ヨッと勢いをつけて千秋が穴から這《は》い出た。

「ここに埋まってるってわかってて、誰かに掘り返してほしかったんだろうな。これでもう心残りは消えるだろう。俺、この子の母親の墓に届けてくるわ」

心残りが消えれば、自然に成仏《じょうぶつ》できるはずだ。

「牡丹《ぼたん》の花だな……」

と千秋の手元を覗き込んで高耶が言った。貝殻に施《ほどこ》した花の絵は、真っ赤な牡丹だった。

「〃牡丹の花は咲いても散るが　情けのお花は今ばかり〃……か」

そういえば、松本城《まつもとじょう》のあの子も同じくらいの年頃の女の子だった。

「だから呼び合えたのかもな」

小さな二人の女の子が手を繋《つな》ぎ、赤い提灯《ちょうちん》を揺《ゆ》らしながら、浴衣《ゆかた》姿でぼんぼんをうたって歩いていく。そんな光景がふと目に浮かび、なんだか切ない気分になった。

「きっとあの世で仲良くしてるさ」

と千秋は持ってきた線香に火をつけた。三人がしんみりと浸《ひた》っていたその時である。

「こら仰木《おうぎ》！　そんなところで喫煙か⁉」

「う。やべッ」

廊下の窓から生活指導の教師に見つけられ、素行の悪い高耶は慌《あわ》てて逃げ出さねばならなかった。千秋と譲は顔を見合わせてきょとんとしたが、やがて声をあげて笑った。

「せっかく穴も掘ったし。あの子の供養に牡丹でも植えるかね」

＊

「うおっ。今夜はキレーじゃん！」

その夜のこと。バイトの終了時間を見計らってやってきた直江《なおえ》の車に拾われた高耶は、ちょっとした夜遊びに出かけることになってしまった。松本《まつもと》インター手前のスタンドを出たセフィーロは、なんとその足で真《ま》っ直《す》ぐ高速にあがり、走らせること十五分あまり。やってきたのは諏訪湖《すわこ》サービスエリアだった。

「以前通った時、夜景がきれいだったんで、一度立ち寄ってみたかったんです」

「夜景だけじゃないぜ。ここ。温泉も入れる」

と植え込みのコンクリに座り込んだ高耶が建物の端を指さした。

「入るか？」

「どうぞ。ここで待ってます」

「なに？　風邪《かぜ》でもひいてんの」

「私は家臣ですから、主人と同じ風呂《ふろ》にはつかれません。背中なら流しますが」

「よせよ、時代劇じゃねーんだからさ」

高耶は片膝《かたひざ》を抱えて、諏訪湖の夜景を見下ろしている。黒い鏡を縁取《ふちど》る宝石のようだ。上諏《かみす》訪《わ》の街は温泉街で、明かりを見ればその賑《にぎ》わいがわかる。精密機械の工場も多いので昔は「東洋のスイス」などとも呼ばれたそうだ。晴れているせいか、蓼科山《たてしなやま》の稜線《りょうせん》まで夜空を切り取るようにうっすら浮かび上がっていた。

遠い目をして夜景に見とれている高耶を、直江は傍《かたわ》らから見つめている。

「ぼんぼんの歌は、結局人柱とは関係なかったのでしょうか」

「……どうだろうな。生きた人柱じゃなかったけど、あのコがいたことは本当だし」

事実そのものではないにせよ、少しずつ人づてに語り伝えられてあのような形になったのかもしれない。

「学校のあのコも、奉公に出されてたんだと。盆帰りで親元に戻ってた時だったとかって。心境的にはぼんぼんの歌通りだったんじゃねーかな」

「情けの花も今ばかり……ですね」

そう呟いてふと気づくと、高耶が直江のほうをじっと見上げている。「なんですか」と問うと、高耶は前髪をかきあげ、

「なんだかんだ言って、あんたがいてくれてよかったと思って。オレと千秋だけじゃ、やっぱ片づけられたかどうかわかんねーし…」

下り車線を飛ばしていく車群を目で追って、高耶は言った。

「千秋の奴《やつ》も意外にいいトコあんじゃん。霊みたら即《調伏《ちょうぶく》》ってタイプかと思ったけど」

学校の霊のことだ。穴なんかわざわざ掘らなくても《調伏》して即解決というやり方もできたのだ。

直江の鳶《とび》色の瞳《ひとみ》は穏《おだ》やかな色を帯びている。だが強いて真顔に戻り、

「あなたにはやはり一度ちゃんとした訓練を施さねばならないと思っています。いざという時《力》を使えねば命に関《かか》わりますから」

千秋の訓練はどうやら「ちゃんとした」部類には入らないらしい。

「以前にも予告しましたが、近いうち、あなたには仙台《せんだい》に行ってもらいます」

仙台という地名に、高耶はつい敏感に反応してしまう。

「いいですね」

「……いいけど」

大きく溜息《ためいき》をついた高耶を、直江は複雑な思いで見つめている。

——景虎《かげとら》は思い出すぞ、直江。

高耶の言動に過敏になっている自分に、直江は気づいていた。

過去を思い出した気配はないか、言葉の裏に過ちを責めるニュアンスが隠れてはいないか。

気がつくと、いつも身構えている。

(加害者はいつだって自分の罪を忘れられないように、この世はできているんだ)

秘密を負いながら側にいるのが時折息苦しくなる時もある。だがそれに勝るほど今の高耶の

一挙一動《いっきょいちどう》を見ていたいと思う。自分で自分をリセットしてしまった景虎。そうしてここにある高耶。

高耶は風に吹かれている。何か考え込んでいる。諏訪湖の夜景を切なそうに映す瞳は、まだどこか気難しい少年の匂《にお》いに満ちていた。

「このまま東京までいっちまおっかな……」

気まぐれのように高耶が呟《つぶや》いた。

「なっ。いかねえ？」

「何言ってるんですか。次のインターでおりますよ」

「ホントに夜景見に来ただけかよ」

「そうですよ。明日学校でしょ」

「はーっ。いーよな、ボーズは暇で」

遊び足りない子供のような言動が、直江には微笑《ほほえ》ましかった。胸が痛んだ。こんな安寧《あんねい》はとても長くは許されそうもないが、

（このままでいてほしいだなんて願う……）

そんな資格もありはしないだろうが、

（せめてもう少し）

もう少し……このままで。

新しい関わりの中で、かつての自分たちには築けなかった何かを。

(紡《つむ》ぐ時間を)

高耶が不意に立ち上がって伸びをした。

「おっしゃ。んじゃ、メシ喰《く》って風呂入って帰っか」

「やっぱり風呂は入るんですね」

「メシ喰ったら茶ァして待ってろよ。さっさと入ってくっから」

「食事のすぐ後に入ったら、浮いてしまいますよ」

「うかねっつの」

直江は微笑して、街の明かりを映す諏訪湖の湖面を見下ろした。黒い鏡面を覗き込んでいる気がしてきて、直江は一瞬どきりとしたが、……そこに映る未来が何物であってもいい。

(逃げるわけにもいかない……)

「行くぞ、直江」

高耶が呼んだ。歩いて行くだけだ、と直江は思った。

(この人と)

高速を飛ばす車のライトが山際《やまぎわ》をかすめていく。ひとときの休憩を求めて入ってくる長距離トラックのライトが高耶の横顔を一瞬照らした。高耶は夜風を気持ちよさそうに受け止めて笑っていた。

　優しい夜の風が爪先《つまさき》を立てるような滑《なめ》らかさで御神渡《おみわた》りの湖を渡っていく。こうこうと光る宿り木に呼び込まれるように、ふたりの姿はドライバーたちで賑《にぎ》わう建物の中に消えていった。

鏡像の恋

第一章　右手の意味

怨将《おんしょう》という奴《やつ》らは、つくづく順応力のある連中だと、千秋修平《ちあきしゅうへい》は思う。

現代社会へのあの馴染《なじ》みっぷりは、なんだ。目を瞠《みは》るばかりだ。ついこの間まで怨霊だったくせに、いっぱしの現代人面で堂々と闊歩《かっぽ》してやがる……。外来語を流暢《りゅうちょう》に使いこなしているのなんかを見ると、感心すらしてしまう。あの学習能力は見習わねばなるまい。

（つーより、見栄っ張りなのかもな）

流行に乗り遅れたくないのは、昔も今も同じということか。

今も視線の先で、怨将たちが談笑している。

〃聞こえるか、長秀《ながひで》〃

耳に差したイヤホンから、よく響《ひび》く低音の男声が聞こえてきた。直江《なおえ》だった。

〃ターゲットがそちらに向かった。確認できるか〃

「あー、確認したぜ。いま、合流した」

昼下がりのカフェだ。千秋は、ウェイターの恰好《かっこう》で、壁に張り付いている。催眠暗示《さいみんあんじ》を得意とする千秋は潜入の仕事も多い。モノクロの上下に長エプロン姿で、アルミ製の丸型トレーを片手に持てば、どこからどう見ても立派なウェイターだ。

（なんでも着こなす上に、俺様くらい演技が達者じゃないと、できないわけよ）

髪で隠したイヤホンで、直江と連絡をとりあいながら、怨将の動きを監視する。後から現れた「ターゲット」は三十代前後の業界人風の男だ。大きな荷物を抱えている。

「例のブツらしきものを持ち込んだ。今から中身を確認する」

と襟《えり》の裏の小型マイクに囁《ささや》いて、千秋は颯爽《さっそう》とフロアに出た。ポットを片手に男たちのテーブルに赴《おもむ》き、コップの水を足しにきたフリをして「ターゲット」に声をかけた。

「お客様、大変申し訳ないのですが、当店はペットを連れての御入店はご遠慮いただいておりまして……。もしよろしければ、レジにてお預かりいたしますが――」

「いや、これは」

と「ターゲット」は手で制し、中身は人形なのだと言い訳した。生きていないから問題ないと触れるのを禁じられたので、千秋はおとなしく引き下がった。が、去り際に中を覗くのを忘れていない。再び物陰に隠れて、千秋は襟の裏のマイクに告げた。

「――確認した。間違いない。例のブツだ」

〝了解。目を離すな〟

やがて「ターゲット」が持ち込んだ荷物を持って、スーツ姿の怨将たちは店を出た。

「聞こえるか、直江。取引が終わった。いま、三人組の背広たちが店から出ていく。尾行よろしく。俺は引き続き、ターゲットに張り付く」

了解、と答えて、直江との交信は途絶えた。千秋は素早くエプロンを外し、蝶《ちょう》ネクタイをとると、「ターゲット」が茶を飲み終えて店を出るまで待って、後を追った。「ターゲット」は帰宅時間帯の若者で賑《にぎ》わうCD屋に寄り、試聴機を何台も聴いてまわり、その後本屋をふらついて、地下鉄に乗り込んだ。ラッシュ時間帯の尾行は、なかなか面倒《めんどう》だ。しかし千秋は馴れたものので、多少の混雑でも見失うことはない。

地下鉄を降りた頃には、辺《あた》りはとっぷり暗くなっていた。「ターゲット」が見知らぬ男に声をかけられたのは自宅マンション前の、駐車場だった。

「お客様、お忘れ物をお届けしましたよ」

先回りしていた千秋である。手には財布を持っている。

「……あれ、本当だ。ない。どこで忘れたのかな。すみません、わざわざ」

降りる時のどさくさに紛《まぎ》れて懐《ふところ》から抜き取ったとは言わず、千秋は親切そうな表情で、近づいた。中の免許証から住所を知って先回りした。抜かりはない。

受け取ろうと手を差しだした「ターゲット」の手首を、千秋は握った。

「！　……なにをッ、あっ！」

ぐい、と引かれてつんのめった男の耳元に、千秋は囁いた。

「体ん中に隠れてても無駄だぜ。とっついてんのは、お見通しだ」

「！」

途端に男の目の色が変わった。千秋を突き飛ばし、念攻撃を仕掛けてくる。《護身波《ごしんは》》で受けると、チリ、と音がして背後の植木が発火した。まずい。発火能力の持ち主だ。

（とっとと決着つけるしかねえ）

「〝𑖪𑖹《バイ》〟！」

有無も言わさず、外縛《げばく》をかけた。「ターゲット」が金縛《かなしば》りされて動けなくなると同時に、千秋は毘沙門天《びしゃもんてん》の印を結び、

「のうまくさんまんだ　ぼだなん　ばいしらまんだや　そわか。南無刀八《なむとばつ》毘沙門天！」

そのとき、ヘッドライトが千秋達の姿を舐《な》めて、駐車場に車が入ってきた。まずい、と思ったが、途中でやめることはできない。中途半端な《調伏《ちょうぶく》》は失敗の元だ。集中し直し、

「悪鬼征伐《あっきせいばつ》！　我に御力《おんちから》　与えたまえ！　――《調伏》！」

車から降りてきた若い男女が、奥の方から突然あがった閃光《せんこう》に驚いて振り返る。悲鳴が上がった。フラッシュかと思う強烈な閃光は、爆発的に駐車場中を呑み込んだ。まともに見れば目が潰《つぶ》れるほどの光だ。光は十数秒間あたりを包みこみ、やがて大量の砂が流れ落ちるような音とともに消えていった。

「な、なに！　いまのなんなの⁉」

「おい、ひとが倒れてるぞ！」

アスファルトに崩れた男の向こうに、人影があるのに男女は気づいた。

「なんだ、あんた……！　その人になにしたんだ！」

千秋は黙ってこちらに歩いてくる。通り抜け様、男女は硬直した。時間が止まった。意識の糸がプツリと切れて立ち尽くした男女は、ややして、クラクションの音で我に返った。

「なに？　いま、なにかあったの？」

「おい、ひとが倒れてるぞ……！」

(任務完了)

わめきたてる声を背中に聞きながら、千秋は現場から立ち去った。

＊

自分のような人間には、やはり都会のほうが住み易《やす》い。

適度な無関心、入れ替わりの激しさ。自分がどこの誰で、普段どんなことをして過ごし、どんな仕事をして食べているかなど、詮索《せんさく》されないところのほうが、住み易いに決まっている。

催眠暗示という特殊能力は、もしかしたら「他人から干渉《かんしょう》されたくない」性分が生んだ、煩《わずら》わしさを逃れるための力なのかもしれない。

松本《まつもと》にすっかり根を下ろして、約半年。

　ところが最近、アパートの入り口から望める夕焼けの北アルプスに見とれてしまったりするあたり、ちょっとヤバイかな、と千秋は焦《あせ》る。都会ではこんな光景、絶対に見られない。北アルプスの峰《みね》にかかる湧き立つような雲が、夕焼けに照らされている荘厳《そうごん》な景色を、玄関からたった一歩出たところで見られるのだ。こんなに贅沢《ぜいたく》なことはない。

　雪をかぶった北アルプスはまた格別美しい。

　あの寒さには閉口するが、こんな生活も悪くない、などと思ってしまう自分は、最近、少しヤキがまわったようだ。

　久しぶりに乗る半蔵門線《はんぞうもんせん》で、そんなことを考えながら、千秋は中吊り広告を眺めていた。東京は確かに住み慣れた街だ。なんたって、江戸《えど》と呼ばれた頃から知っている。移り変わりも逐《ちく》一《いち》見てきた。

　そして人の集まるところには、怨将も集まる。

　松本や仙台《せんだい》のような大きな事件こそ起きていないが、《闇戦国《やみせんごく》》関連の小さな怪事件は、頻《ひん》発《ぱつ》している。今日のような怨将同士の取引も、実は珍しくはない。

　街は、まだ正月のおとそ気分が抜けていないようだ。盆も正月もない身にとって、三が日の空気は妙にやる気を殺《そ》ぐので困りものだが、それが過ぎても、ギアはいきなりトップには入らないらしく、会社や学校はとうに始まっているはずなのに、皆、まだなかなか日常のリズムは取り戻せないでいる、そんな雰囲気《ふんいき》だ。

（怨将たちも正月くらいのんびりしてりゃあいいのによ……）

待ち合わせたホテルのバーに、直江が待っていた。こちらは一足先に仕事を片づけてきたようだ。カウンターの端のほうの席に座り、ひとり、考え込むような顔つきで、水割りのグラスを傾けている。

「……メシも喰わずに、酒かよ。栄養とらないと体に悪いぜ」

と言って隣の席にドッカと座る千秋を見て、直江は顔をあげた。

「そっちは済んだのか。長秀」

「ああ。滞《とどこお》りなく。ターゲットは片づけた。そっちはどうだ」

「例のモノは向こうのアジトに保管された。いま、《軒猿《のきざる》》が張り付いてる。動きがあったら、連絡が来るはずだ。それより取引相手の身元が割れた」

「正体が？　どこの連中だ」

「伊賀《いが》惣国一揆《そうこくいっき》の怨霊たち。伊賀の乱で織田《おだ》に滅ぼされた死者だ」

伊賀の乱？　と千秋が聞き返す。天正《てんしょう》九年に起きた織田信長《のぶなが》による伊賀攻めのことだ。

戦国時代、そこは特殊な土地だった。伊賀国は現在の三重《みえ》県北西部。長く、戦国大名不在の地だった。在地の地侍《じざむらい》たちが団結し、合議制を貫いて領主権を守り続けた「惣国」だ。日常の政務は選出された十名の奉行《ぶぎょう》によって行われ、十一箇条の掟書《おきてがき》があり、他国から攻め込まれた時の防戦のこと、出陣義務のことなどを取り決めた掟《おきて》に従って、土豪達が団結し、存続しつづけた。伊賀が、山に囲まれた天然の要害《ようがい》であったことにもよるが、畿内《きない》から東海にかけての要衝《ようしょう》にあって、突出した戦国大名の力によらず、中小の地侍が団結することで長期にわたって自国を守り続けたのは、特筆すべきことだ。

その彼らも、織田信長によって攻め滅ぼされた。天正九年の伊賀攻めだ。その怨念によって《闇戦国》に甦《よみがえ》ってきたというわけだ。

「なるほど。信長に報復をってわけか」

「連中、城を根城に織田へ抗戦する気のようだ。伊賀上野《うえの》城の奪還を狙ってる」

「伊賀上野城……。藤堂高虎《とうどうたかとら》が築いた、あの」

「ああ。今は織田方の城になっている。伊賀の乱の怨霊を封じるための拠点と成しているようだ。惣国一揆の連中は、近々城攻めを行って、名実ともに伊賀から織田を排除するつもりらしい」

「その城攻めに、今度のブツを使おうってのか」

「伊賀上野城は、後に藤堂高虎が〝有事の城〟として建てた難攻不落《なんこうふらく》の堅城だ。奴らも相当の準備をしなければ、陥落《おと》せないとわかっているんだろう」

なるほどな、と千秋は呟《つぶや》いて、ピーナッツをつまんだ。バーテンに生ビールを頼んで、カウンターに肘《ひじ》をのせた。

「……そのために化け物が必要とはね」

「《闇戦国》も近頃巧妙になってきている。怨霊が闇雲《やみくも》に戦っていた数年前とは状況が変わってきた。付喪神《つくもがみ》だの霊獣《れいじゅう》だのを使うのが最近のはやりらしいな」

「確かに」

つい先日も、軍刀にとりついた付喪神が騒動を起こしたばかりだ。

発生しはじめた当時の《闇戦国》は戦も単純だった。怨霊武者が怨霊武者とひたすら刃を交える。合戦を繰り広げる。いま思えばシンプルで素朴《そぼく》だった。しかし怨将たちの間で憑依《ひょうい》という手段がはやりだしてからというもの、《闇戦国》は頭を使う知力戦の様相を呈してきた。ひたすら怨念をぶつけあっていればいいという段階は過ぎたのだ。

「《調伏》だけしてまわればよかった頃のほうが、厄介ではなかったな」

「ちっ。怨霊がいっぱしに生きた人間ヅラってわけか。ご立派なこって」

出された生ビールをぐっとあおった。爽快な刺激が喉《のど》を潤《うるお》し、空きっ腹に染《し》みわたった。

「そんで、ついには《闇戦国》専門の武器商まで現れたってわけだ」

「怨霊が憑依を憶えると、ロクなことがないな」

千秋が先刻《調伏》したのも、その武器商のひとりだった。付喪神や霊獣を各地から「捕獲」してきては、怨将に売りさばくという、面倒な連中だ。直江が追跡していたその男は、近頃、怨将関連で頻繁《ひんぱん》に起きていた付喪神事件から浮かび上がってきた人物だった。

「……先日の軍刀騒ぎにも一枚噛《か》んだ男だ。とにかく、大本は断った。あとはブツの始末だな」

　惣国一揆の連中が「買った」商品は「蛇骨入道《じゃこつにゅうどう》」と呼ばれる妖怪だ。東濃の岩村《いわむら》城なる落城した城跡から生まれた妖怪で、霧《きり》を生み出す力があるという。その岩村城は、信長の叔母《おば》の嫁ぎ先で、当の信長に攻め滅ぼされて落城した因縁《いんねん》の城だ。

「その女は、岩村御前《ごぜん》と呼ばれている。落城後、信長の命令で河原にて処刑された。死に際《ぎわ》に信長を呪ったと伝えられている。その岩村御前とゆかりのある妖怪らしい」

「いっそ好きにやらせてみたらどうだ。直江」

「見過ごせというのか」

「信長を倒せるんなら、こちらとしてもありがてえじゃねえか」

「………。そういうわけにもいかん」

　と直江はグラスを揺らして、重なった氷を崩《くず》した。

「あの妖怪には暴走の危険がある。奴らに扱いきれるとは思えない。一般市民にまで危害が及ぶ前に処理しないと」

　千秋は黙って直江の横顔を眺めた。

「……相変わらずなんだな。規範に従って、忠実に任務を遂行ってか」

「それが俺たちの使命だ」

「そうしてっと、カンペキな仕事人間に見えるぜ。直江」

心の中はそれどころじゃないくせに、と言うと、僅《わず》かに直江の目尻が吊り上がった。

「景虎《かげとら》とのことはどうなってんだよ」

「おまえには関係ないことだろう」

「関係ないけど気になんだよ。それに、おまえらの痴話《ちわ》騒動は確実に仕事に支障を来《きた》す」

「……………。黙っててくれないか」

と言って直江は水割りをあおったきり、何も言わなくなる。一度黙り込むと、もう自分のことは決して話し出さない。そういう人間だった。昔から。深酒で酔わせて口を弛《ゆる》めさせようとしても、無駄なのだ。貝のような男だ。

（もう少し、自分を自由にさせてやれたら、楽にもなるだろうに）

彼自身が己《おのれ》に授けた、彼独自の戒律《かいりつ》を守り抜くことが、直江には必要だった。彼が常に衣服のように身に纏《まと》う禁欲とか自制とかの気配は全て、その戒律を守り抜くがゆえの副産物だ。そういう戒《いまし》めから己を解き放つことができたら、もっと楽に生きられるだろうに。

（いつのころからか、おまえは景虎との関係が破綻《はたん》するのを恐れて、自分に戒律を与えたんだろうが……）

（その戒律が、おまえ自身を壊そうとしてる）

現に壊れた。

三十年前に――。

(その方法はもう有効ではないと、とっくに気づいているくせに)

京都から帰ってきた高耶の様子を見れば、直江と一波乱《ひとはらん》あったことは容易に見抜けた。高耶は三十年前の景虎と同じ表情をするようになった。美奈子《みなこ》を挟んで、ふたりの仲がこじれきったあの時の、冷たく荒《すさ》んだ眼だ。

(やっぱりおまえらは、あの続きを辿《たど》っちまうのかよ)

店に女連れの若いサラリーマンが入ってきた。落ち着いたバーの雰囲気とは、少し場違いなカップルだ。女の方は高級ブランドの名をあげて、しきりにクリスマスプレゼントをねだっている。

「……ったく。クリスマスなんてとっくに終わってんのに。頭ん中、年中クリスマスなんだろーな。こっちゃ怨霊退治に妖怪退治。早く来い来い次のお正月だよ。まったく」

「クリスマスか……」

ふと直江が苦笑いを浮かべた。骨張った手でグラスを包み込みながら、

「レオナルド・ダ・ヴィンチの『最後の晩餐《ばんさん》』を知ってるか、長秀」

突然なにを言い出すのかと思ったが、千秋は驚かず、カウンターに乗り出して話題にのってやることにした。

「本物は見たことねーが、……あれだろ。イエス・キリストが捕まる前夜に、十二使徒と晩餐

を共にしたってゆー……」

「ああ。弟子達を前にして、この中に自分を裏切る奴がいると言いだしたイエスに、弟子達が動揺する様を描きだした壁画だ。弟子達は皆、食卓を前にして『誰のことですか』『もしや私のことですか』と騒然としている。その中のどれがユダなのか、は一目《いちもく》しただけではわからない」

「普通、そういう奴は端っこにこっそり描かれてんじゃねーのか」

「いいや。ユダは紛れ込んでいる。中央のイエスから、向かって左側の三人の男の中に、ひとりだけ表情がよく見えない人間がいる。よく見れば、イエスを売った銀貨の入った財布を握っているからわかるんだが、遠目には判然としない。絵を見た人間はどれがユダなのか探すんだが、ダ・ヴィンチはその銀貨以外にも、とても重要なヒントを絵に与えているんだ」

「重要なヒント？」

「手だ」

と直江は答えた。銀貨を握っていないほうの左手だ。

「よく見ると、ユダの左手は、イエスのほうに差し伸べられている。ひどく緊迫感を持った手だ。まるで、こう、すがりつかんばかりの」

語りながら直江は、左手で、その形を再現してみせた。

「一方のイエスは穏やかな表情で、両手を、こう、言葉を語るようにテーブル上に広げている。イエスの顔はユダのほうを向いてはいない。一見そうなんだが、ユダの左手とイエスの右手だけに注目すると、両者の手の表情が、俺にはひどく切迫《せっぱく》したものに見えるんだ。その描き方が印象深い」

「手か……」

「ダ・ヴィンチが、その絵の中で最も思い入れをこめた部分は、もしかしたら、ここなんじゃないかと思えてくるほど――」

と語って、直江はまた考え込むような表情になってしまう。自分の左手を見つめている。

「……ユダの左手は、許しを請《こ》うていたのか。それとも純粋に……」

言いかけて、直江はまた口をつぐんだ。

「……すまない。長秀。やはり、もう部屋に戻る」

伝票を持って立ち上がった。「明日の朝、部屋に電話する」と告げる直江を見上げて、千秋はおどけたように敬礼してみせた。

「了解。あー……、部屋に女は連れ込むなよ」

「おまえこそ夜遊びはほどほどにな」

言い残して、直江は去っていった。少し疲れている横顔だった。身に纏《まと》う黒い喪服《もふく》は直江の戒律そのものだ。忠誠の証と言ってもいい。

「まったく……」

泡《あわ》の潰れた生ビールを飲み干した。最初の一口の爽快さはなく、ただ苦いだけだった。

＊

直江の言おうとしていたことが、ずっと頭に引っかかっていたのだろう。

閉店間際の書店は、人もまばらだった。夜まで営業の専門書店で、思わず画集を探してしまった千秋だ。レオナルド・ダ・ヴィンチの分厚い画集。高い棚の本をとるための移動式梯子《はしご》に凭《もた》れて、千秋は『最後の晩餐』に見入っていた。

直江が語った通りに探すと、ユダらしき人物が発見できた。他の人々には光があたり表情もくっきり描かれてあるが、ユダだけは暗く、顔も斜め後ろから見たような奇妙なアングルだ。表情は潰《つぶ》れて判らない。確かに右手に袋を持っている。「銀貨の入った財布」だ。

イエスは中央。頭部に光輪が描かれ、表情もおだやかで、神々《こうごう》しい。その神々しさをだすために、ダ・ヴィンチはわざとイエスの表情を描ききらなかったという話を思い出した。なるほど、他の人物たちが写実的でやたらリアルなのに比べ、イエスだけは薄ぼんやりとして、この世のものではないようだ。

千秋の目線は、その手を辿った。

（これか）

直江が言っていた「二人の手」は。

遠目にはわかりづらい。パーツごとにアップにした写真が載っていたため、よく判った。ユダの左手は、直江が言った通り、イエスに向かって差し伸べられている。その手の表情は確かに、明らかに切迫している。筋《すじ》が浮かび、緊張感の漲《みなぎ》る手の表情は、イエスに助けを求めているようにも見える。

そしてイエスの右手も——。

顔の表情の、曖昧《あいまい》で穏やかな感じとは結びつかないほど、緊迫した手だった。ユダの左手を今にも摑《つか》もうとせんばかりなのだ。両手を広げたイエスは、顔こそユダのほうに向けてはいないが、この右手が全てを語っている。裏切り者へと差し伸べられた右手。

二人の手——。

ここに真実がある。

弟子達は動転して、誰も気づかない。イエス自身もユダのほうは見ていない。だけど、この手が——手だけが、真実を語っている。

（なるほどな……）

と千秋は思った。物凄い絵だな、と思った。この絵には重くて深い物語がこめられている。絵の中で、真実はこの二人の手が語っている。二人だけが知る真実を。

イエスの手は、許しを請うユダにまるでこたえようとしているようじゃないか。

いいや、ユダはそれとも、これから罪に堕《お》ちようとする自分を救ってくれと訴えているのか。

これは崖《がけ》っぷちで落ちかけている人間が差し伸べた手を、摑まえようとする手だ。

直江は、この手に何を重ねていたのだろう。

許しを請う手に、応えてほしいのか。このユダに自分を重ねているのか。

景虎に許されたいと願って――。

(だけど俺の眼には……)

と呟いて、千秋は本を閉じた。

(お互いを求め合ってるように見えるんだよ)

店には閉店を告げる『蛍の光』が流れ始めた。

引き揚げるか、と思い、画集を元の棚に戻そうとしたときだった。

「――修平《しゅうへい》? 修平じゃない?」

背中から投げかけられたのは女の声だ。

千秋は驚いて、振り返った。通路に、若い女性がひとり立ち尽くしている。ミニスカートにロングブーツ、セミロングの茶髪に毛糸帽を被った二十代前半くらいの可愛いらしい娘だ。

……、だが見覚えはない。こちらは知らないが、向こうは千秋を知っているらしい。みるみる眼を潤《うる》ませて、

「間違いない、修平だ……！　修平！」

「うおっ」

　いきなり真正面から抱きつかれて、手から画集が落ちそうになった。

　天井まで届く書棚の前で、見知らぬ女に抱きつかれ、千秋は激しく動揺した。

「……君は……」

「今までずっとどこにいたの？　ずっと探してたんだよ！」

　黒い瞳を涙で潤ませて、若い女は訴えてくる。

「ずっと探してたんだよ、修平！」

　人違いです、と言って逃げてしまえばよかった。

　だが、逃げずとも、いざとなったら催眠暗示でどうにでもすることができる。そういう思いもあったので、その場に留まってしまったのだが……。閉店間際の専門書店でいきなり千秋に抱きついてきた女は、その後人目も憚《はばか》らず泣き出してしまった。

「――どうしたの？　あたしのこと憶えてないの？」

（ヤバイ……ッ）

　察しはついた。彼女は、この宿体《しゅくたい》の知り合いだ。「千秋修平」に安田《やすだ》長秀が換生《かんしょう》する前の、知り合いだ。むろん千秋には彼女が何者か、わかるはずもない。宿体の恋人だったりしたら、さらに話がもつれる。

「あ、あの……悪いんだけど、ちょっと急いでて……」

逃げ腰になる千秋に、彼女は顔色を変えて、胸ぐらを摑んできた。

「なに言ってるの、まさか憶えてないの？　あたしのこと」

騒がれて痴話喧嘩《ちわげんか》にでもなってはたまらない。いよいよ催眠暗示を使おうとした千秋の先を制して、女は叫んだ。

「姉さんのこと忘れたの！」

千秋は眼を剝《む》いてしまった。

「――〝姉さん〟……？」

＊

閉店時間に追い出された千秋たちは、近くの店に場所を移すことになった。

彼女の名前は――〝千秋菜摘《なつみ》〟。

この宿体〝千秋修平〟の実の姉だった。会った憶えもないのに、なんだか馴染《なじ》みがある顔だと思ったわけは、毎日鏡に見る自分の顔と似ていたからだ。姉弟だけあって、目元はよく似ている。が、菜摘は丸顔で、どちらかと言えば童顔だ。〝千秋修平〟が卵形の大人びた顔立ちをしているのとは、対照的だ。どちらが母親似で父親似なのかはわからないが、一見したところでは、兄と妹に見られそうだ。

五歳年上で、いまは東京でＯＬをやっているという。

三年前に、実家の福井《ふくい》で行方不明になった弟の修平をずっと捜し続けていたらしい。

「捜索願も出したんだよ。でも全然情報が集まらなくて……。もう諦《あきら》めなきゃならないのかなって思ってた……。東京にいただなんて」

菜摘は泣き腫《は》らした眼をこすっている。

弟との突然の再会だ。無理もない。

「交通事故で記憶喪失になってたなんて、全然知らなかったから。ごめんね、修平。心細かったでしょう。いま、どうしてるの？　生活のほうは」

菜摘には本当のことは言わない。興奮して紅潮した菜摘の顔を、千秋は寡黙《かもく》に見つめている。弟の沈黙を菜摘は別に解釈したらしい。

「あ……、ごめん。そうだよね。いきなり姉さんだなんて言われても、戸惑うよね。なんにも憶えてないいんだもんね」

と落ち着かない様子で紅茶を飲んだりした。

「けど実家に戻れば、何か思い出すかもしれないよ。部屋とかそのままにしてるから。ね、一度家に帰ろ。母さんも義父《とう》さんも芳紀義兄《よしきにい》さんも待ってるよ。ね？　一度、うちに」

「ごめん。菜摘さん」

ドキリとして菜摘が眼を見開いた。千秋は冷静な口調で、

「……悪いけど、俺にも今の生活があるから。仕事忙しいし、すぐには行けないと思うよ」

「どうして！　自分が誰だか思い出したくないの⁉」

一瞬千秋も言葉に詰まった。だが菜摘はすぐに我に返り、テーブルの上でうろたえたように指を組んだ。

「そ、そうよね。急にこんなこと言われても、困るよね。急がなくていいから。でも連絡先だけは教えて。姉さんたちの連絡先も教えるから。ね？　おねがい」

腫《は》れ物に触《さわ》るような態度で哀願《あいがん》する。千秋にとっては他人だが、菜摘にとっては肉親なのだ。複雑な心境だった。「姉」の必死な気持ちもわかるので、千秋には突き放しきることができなかった。深く溜息《ためいき》をつくと、菜摘と同じようにテーブルの上で指を組んでみた。

「ごめん……姉さん。突然のことで戸惑ってるんだ。けど、知りたいよ。俺がどんな人間だったのか」

すると、たちまち菜摘の表情が明るくなった。日が射したように笑顔になった菜摘に一瞬、目を奪われた。菜摘は身を乗り出してきて、千秋の手に掌《てのひら》を重ねた。

「ありがとう、修平」

それから菜摘は延々と「千秋修平」の生い立ちを語って聞かせた。親は再婚同士、兄弟は他に、義父の連れ子の芳紀という名の「兄」がいる。実家に住んでいるのは今は両親だけ、再婚

して六年になるが、家族仲はいいらしい。修平が行方不明になったのは、彼が高校一年の春。三年前のことだ。学業優秀で県下トップの進学校に入学するほどの優等生だった。

「あなたは……音楽と読書が好きだった。毎日図書館に通って推理小説を何百冊も借りて読んでた。小学校の頃は剣道やってて、ほら、竹刀だこの痕《あと》が今も残ってる」

菜摘は千秋の掌をひっくり返して、指で指した。

「あの頃は、明るくて素直なコだったんだけど……」

ふと呟いたのを千秋は聞き逃さない。菜摘はハッとして口を押さえた。

「ごめんなさい。あたし……ッ」

「俺は扱いにくい奴だった？　姉さん」

菜摘は真顔《まがお》になって、瞳を覗き込んでくる千秋の手を握っている。やがて苦笑いし、

「思春期の男の子はみんな気難しくなるって、教育の授業でやってたよ。修平だけが特別だったわけじゃないと思うけど――」

そう、と言って千秋は手を引っ込めた。

「俺、ホントにな～んにも憶えてないから。実は君のことも全然『姉さん』って感じじゃないんだよね。うっかりすると口説《くど》きかねないから、もう帰るわ。んじゃね」

「しゅ、修平？　ちょっと待って！」

立ち上がった千秋に無理矢理連絡先を書いたメモを握らせて、菜摘は訴えた。

「絶対。絶対電話して。いい？　約束して」

懸命に見上げてくる菜摘を見下ろし、千秋は真顔になったけれども、口端《くちばた》を弛めて、菜摘の指に小指をからめた。指切りげんまんして店を出ていく千秋を、菜摘は不安そうにいつまでも見送っていた。

＊

ホテルのベッドに転がって、どうしたものか、と千秋は悩む。

経験からいくと、これは一番面倒なパターンだ。肉親に見つかった。本当なら、すぐにでも記憶を消して何事もなく通り過ぎるべきだった。次の約束までして、みすみす後腐《あとくさ》れの元を作ったようなものだ。このまま連絡しなければ、菜摘を不安がらせるだけだろう。

(なにやってるんだ、俺は……)

別れ際に自分と会った記憶を消してやるつもりだったのに、なぜか、できなかった。

今頃、菜摘は家族に報告しているだろう。喜ぶ家族はまた躍起《やっき》になって、自分を捜そうとするはず。こちらとしては諦めてくれるほうが余程身軽なのだ。

(もう一度会って暗示かけるまではトンズラもかませねえ)

とんだ二度手間だ。あんな嬉しい顔をされても困る。本当の事を言っても信じやしないだろうが、経緯を知れば、もっとショックを受けるだろう。邪険《じゃけん》にできなかったのは罪滅ぼしのつもりか？　今更何が罪滅ぼしだ。

そこへちょうど高耶から定時連絡の電話が入った。電話越しに高耶は、千秋の動揺を覲く見抜いてきた。

『なにかあったのか』

いつもは鈍すぎて困るのに、こんな時だけしっかり察してくる高耶に、千秋は少なからず小憎らしさを覚える。

「別に。なんでもねーよ。それより直江とは連絡とったのか」

『………。報告は受けた』

「それだけか？　ちっとはねぎらいの言葉もかけたか」

高耶は答えない。「景虎」を取り戻してきた高耶は、直江との対し方まで、三十年前に戻りつつある。お互い憎み合っていた頃の険悪な空気まで取り戻しつつある。

『………。ねぎらう前に電話を切られたら、何も言うことができないだろう？』

千秋の脳裏《のうり》に、不意に画集で見た『最後の晩餐』が甦った。顔は背《そむ》けているくせに、手だけはユダのほうに差し伸べられていた、あの――。

『岩村城には《軒猿》を向かわせた。蛇骨入道には、まだ手を出すな。直江にはこちらの方針を伝えたが、不服のようだ。あれが先走りそうになったら、おまえが止めてやれ。晴家《はるいえ》が戻り次第、譲の護衛を任せて、オレも合流する。それまで目を離すな』

「いいけど、かみさんのご機嫌《きげん》伺いに子供使うような真似《まね》はすんなよな」

『なんのことだ』

「まわりがメーワクすんの」

『何が言いたいのか、さっぱり分かんねーな』

高耶は相手にもしない調子だった。

『正月気分で女にかまけて、標的取り逃がすんじゃねーぞ』

釘《くぎ》を刺して、電話は切れた。千秋は菜摘から受け取ったメモに目をやった。どことなく懐かしい筆跡だ。脳が憶えているのだろうか。

換生者は通常、宿体の記憶に触れることはない。脳の棲み分けができている。迂闊《うかつ》に宿体の記憶に触れれば、こちらの人格にまで影響を及ぼす危険がある。だから記憶の領域は封じてしまわねばならない。それゆえ、安田長秀は「千秋修平」がどんな人間だったか、よくは知らない。それでも完全には遮断できないのだろう。菜摘をすげなく切ることができなかったのは、多分、「修平」の脳に染み込んだ姉への愛着が滲《にじ》み出てきてしまっているせいだ。

(よっぽど姉ちゃんが好きだったのかな……)

自分の中に湧いてきた愛情を、他人のもののように眺めながら、千秋はもう一度ベッドに転がった。

（おまえが捨てたんだ、「修平」……）

（代わりなんか、できねーからな）

目を閉じると、眠気はすぐにやってきた。シャワーも浴びず、沈みこむように眠りについた。

第二章　あたたかき部屋にて

「ゆうべ、何かあったのか?」

翌朝、現場に向かう車中で、だしぬけに直江《なおえ》から訊《き》かれた。助手席の千秋《ちあき》はギクリとした。

主従《しゅじゅう》揃って察しがいい。景虎《かげとら》から何か聞いたのか、と問うと、直江は首を横に振った。

「女と会ってるところを《軒猿《のきざる》》が見かけたと言っていた。事件の関係者か」

「……なんだ。ちげーよ。宿体《しゅくたい》の肉親に出くわしちまった」

「肉親に?　それで」

「そのまま暗示もかけずに帰しちまった」

「おまえらしくないな」

「あー……。まったく俺らしくねー。景虎じゃあるまいし」

ヘッドレストに頭を預けて、千秋はぼやいた。

「まあ、このままシカトこいてもいーんだけどな」

信号待ちの間、運転席の直江がやけに感慨《かんがい》深げな視線をこちらに注いでいる。「気持ち悪いな」と言い返すと、直江は苦笑いした。そんな風に言いながらも切り捨てきれないでいるのがわかるのだ。

「なにを困ることがある。負い目を感じるほどウェットな男だったか？」

「別に負い目なんか感じちゃいねー」

「俺たちが胎児換生を選ぶのは、後ろ暗さを最小限にしようと思うからだ。割り切れないなら、成人換生なんて初めからやるもんじゃない。おまえは割り切ってるんだと思ってた」

「割り切ってるさ。そーゆーことじゃない」

　車は芝《しば》公園の現場に到着した。伊賀《いが》の怨将《おんしょう》たちが隠れ家としたのは、芝公園内にある芝東《しばとう》照宮《しょうぐう》だ。徳川《とくがわ》家の菩提寺《ぼだいじ》・増上寺《ぞうじょうじ》のそばにある小さな神社である。徳川家光《いえみつ》のお手植えと伝えられる都天然記念物の大銀杏《いちょう》は、もう一月だというのに、まだいくらか枝に葉を残している。黄葉の遅い大樹らしく、根元を埋める黄金色の落葉は、今朝の冷え込みのせいか、霜で白くなっていた。ここは勿論《もちろん》、徳川家康《いえやす》を祀《まつ》る社《やしろ》であるが、日光や久能山《くのうざん》と比べると、ひどくこぢんまりした印象だ。元は増上寺の中のお宮だったのが神仏分離令で独立したらしい。東照宮の家康が力を発現すればなんらかの作用を引き起こす可能性もあるが、今のところは何事もない。

　とはいえ、ここも天海僧正《てんかいそうじょう》の江戸《えど》鎮護呪法の一角を成したはずだ。惣国一揆《そうこくいっき》の怨将はこの江戸の守り社のひとつを利用した。寄らば大樹のなんとか、ではないが、織田を牽制《けんせい》するにはらようどいい「江戸の安全スポット」とみなしたのだろう。

監視に留まっていた《軒猿》たちと合流した。

「八海《はっかい》。来ていたのか」

三十代半ば頃のスーツ姿の男がいた。やや陰気な鋭い目つきをした角張った顎《あご》の男である。

《軒猿頭》の八海だ。

八海は景虎直々《じきじき》の命令でしか動かない。直江の目が神経質そうに吊り上がった。

「これは我々が引き受けた仕事だ。報告もきちんと行っている」

「承知しております。深い意味はございません」

直江は不快そうに眉《まゆ》を顰《しか》めた。……これはていのいい監視ということか？　自分たちには任せられないということか？

今のところ、伊賀惣国一揆衆に不穏な動きはないという。

「蛇骨入道《じゃこつにゅうどう》は、あの社殿の中です」

何重にも結界が施されている。すぐ目の前の日比谷《ひびや》通りにはひっきりなしに車が行き交う。

「交通量が多い。しかも真下は地下鉄が通ってる。こんなところで大暴れされたら、ひとたまりもないな」

「早く決着をつけたほうがいい」

直江は少しでも早く蛇骨入道を仕留めてしまいたいらしい。

「しかし景虎様はまだ手を出してはならないと」

「判断を待っている時間はない。万一暴走されて被害を出したら、誰が責任をとるんだ」

「景虎はこいつが織田《おだ》方への抑止の役に立つかもしれないって考えてるんだろ」

代弁したのは千秋だった。

「今の蛇骨入道は、岩村《いわむら》城の蛇霊と岩村御前《ごぜん》との複合霊体である可能性が高い。おまえも知っての通り三十年前、織田の手で封じられた──」

岩村御前は信長《のぶなが》の叔母《おば》だ。血の繋《つな》がった肉親でありながら、信長に殺された。怨霊となっていた岩村御前は、三十年前、復活した信長にこの時とばかり襲いかかり、あと少しで信長を殺せるところまで迫ったのだが、叶わず、織田方の手によって岩村城の蛇穴に封じ込まれた。その蛇穴の中で、自《みずか》らが生前使役していたという蛇霊・蛇骨入道と結び付き合った可能性が高い。

「あの信長ですら、倒しきれず、封じ込むしかなかった怨霊だ。信長への怨念も並大抵じゃない。信長にぶつけるにゃ、これほど頼もしい怨霊はいねえってわけだ」

「その前に現代人に被害が出る。我々の第一の使命は、生き人を守ることだろう」

「蛇骨入道は今のところ鎮静状態だ。まだ見極めるだけの時間の余裕はある。いま、《軒猿》が岩村城の蛇穴まで確認に行ってる。それが戻るまで待ってもいい」

直江は不満の表情を隠さない。上杉《うえすぎ》は《闇戦国《やみせんごく》》の私設警察であるとともに、各勢力の均衡《きんこう》を客観視するバランサーでなければならない。ひとつを潰《つぶ》すことは、敵対勢力に荷担することも意味している。そこのバランスを間違えると、火に油を注《そそ》ぐことにもなりかねない。

ただ単純に怨霊退治をやっていた頃とは状況が違うというわけだ。

「……。だからって、怨将に気を遣《つか》い過ぎて現代人に危害が及ぶなら、本末転倒《ほんまつてんとう》だ。景虎様に掛け合ってみる。監視を怠《おこた》るな」

と言って、直江は車へと戻っていった。

「ったく……。ムキになっちゃって」

「なぜ直江様はあそこまで景虎様に反発なさるのでしょう……」

「……さあな。理由なんて本人にしかわからねえ。だけど、こんな形でもぶつかりあってるほうが、まだいいのさ」

「安田《やすだ》様？」

「直江だってわかってるはずだ。自分の左手の意味は」

八海には千秋が何が言いたいのかわからなかった。あえて説明するつもりもない。千秋は直江から視線を移動した。

「退治するにしろ、岩村城に戻すにしろ、織田の連中が嗅《か》ぎつけないうちに始末をつけよう。増上寺を拠点にして、芝公園一帯に警固を広げる。仕事だ、八海」

＊

千秋がホテルに戻ってきたのは、夜八時過ぎのことだった。フロントで鍵を受け取ると、従業員から「来客があった」と告げられた。ロビーのラウンジで待っているという。

テーブル席から腰をあげたのは菜摘《なつみ》だった。千秋は仰天《ぎょうてん》してしまった。

「な、菜摘さん。どうして……ッ」

「ごめんね。あの後、実は心配で後つけちゃったの」

弟があのまま姿をくらましてしまうのではないかと不安に思ったらしい。こっそり尾行して、このホテルに宿泊していることを突き止め、今日また訪ねてきたという。千秋は全然気づかなかった。……不覚だ。

「少しでも長く一緒にいれば、何か思い出すかもしれないでしょ。アルバムとか、いろいろ持ってきたの。何か思い出すキッカケになるかなーって思って。それと夜食にでもと思って、おにぎり握ってきたの。大好きだった茄子《なす》の漬け物も」

思い出す気はない、と喉《のど》まで出かかったが、菜摘の甲斐甲斐《かいがい》しさの前には思わず呑み込んでしまう。

「それにしてもすごいね。ホテルに滞在してただなんて」

「あ、ああ。仕事で」

「いつまでいるの？」

「さあ……。仕事が終わるまで」

「お金はどうしてるの。ちゃんと払えるの。仕事って何の仕事してるの？」

姉の菜摘は心配で仕方ないらしい。無理もない。記憶喪失で自分が誰かもわからない、たかだか十九か二十歳の若者が、ホテルに泊まって仕事だなんて、いかにも怪しい。まっとうな職業ではないことぐらいは、菜摘にも察せられた。

「法に触れるようなことしてないでしょうね。姉さんにも言えない仕事？」

さすがは姉の貫禄だ。千秋は畳《たた》みかけられて、うっと詰まってしまった。

「し、してないしてない。ちゃんとした職業。ちょ、ちょっとした水商売」

「水商売？　ホストとか？」

「そう、それ」

「嘘おっしゃい！　ホストなら今頃出勤中でしょ！」

菜摘は身を乗り出して問いつめる。逃げ場がなくて、千秋は乾いた笑いで誤魔化《ごまか》そうとするが、菜摘はぎょろりと目を剝き、鍾馗《しょうき》様のような形相《ぎょうそう》で迫ってくる。

「あ、ああ……だから、休業中なの。み、店が改装してて、マンションも改装してて」

「あ、そうなの」

といやにあっさり納得した。胸を撫で下ろした千秋である。

「そうよねぇ……。記憶喪失で、身元もわからないような若い子雇ってくれるとこなんて、そんなにないもんねぇ。それにしてもあの修平《しゅうへい》がホストかあ……姉さん、ショックかも」

「そんなわけで元気にやってるから。心配しないで、今日のとこはもう……」

「ねえ。うちに来ない？」

え？　と千秋は目を剝いてしまった。

「参宮橋《さんぐうばし》の近くなの。そんなに遠くないでしょ。うちなら、ごはんくらいは作ってあげられるし。ロフト空いてるから、ベッド代わりにしちゃってもいいでしょ」

「ははは……。気持ちは嬉しいんだけど」

「なに？　なんかまずい？」

「俺は、その、記憶喪失でつまり……。赤の他人みたいなもんだし。そういう男、家に連れ込むのはちょっとヤバイんじゃ……」

「連れ込むなんて変な言い方。記憶がなくったって、弟は弟でしょ。照れなくていいのよ」

意外に頑固《がんこ》なところがある。

「それに姉さんのおにぎり食べれば、うちに来たくなるって……って、やだ！　漬け物ばっかり気にして、肝心《かんじん》のおにぎり忘れてきちゃった」

そそっかしいところもあるようだ。しかも余程、自信のあるおにぎりだったらしい。菜摘は泣くに泣けない顔で漬け物のタッパーを見つめていたが、やがて潤《うる》んだ目で千秋を見上げてきた。まずい、と思ったが、逃げられなかった。

「取りに行くから、……おねがい」

*

それから三十分後、小田急線《おだきゅうせん》の線路沿いの道で自転車を漕《こ》ぎまくる千秋修平の姿があった。菜摘の通勤用自転車だ。後ろには菜摘が乗っている。

「ほら！　しっかり漕いで！　ヨロヨロしてるよッ」

（なにが悲しくて、こんなとこでママチャリ漕がなきゃなんねーのよ）

菜摘に叱咤《しった》されながら、千秋は自転車を漕ぎまくる。すぐ脇を、小田急線の青い線が入った車両が追い越していく。超高層ビルの明かりを背中に、千秋はペダルを踏み込んだ。

「気持ちいい〜！　久しぶりだね、修平と二人乗りなんて。小学生以来だよ。憶えてる？　あの時はあたしが漕いだんだよね〜！」

はしゃぐ菜摘の声を背中に聞きながら、千秋は息を切らして切通坂《きりどおしざか》をあがっていく。自転車なんて漕いだのは何十年ぶりだ。さすがに腿《もも》がブルブル言いだした。

「す、少し太ったんじゃない？　菜摘さん」

「失礼ね！　やせたのッ。高校の時より五キロも」

騒々しくわめきながら、菜摘の住むワンルームアパートに辿《たど》り着いた。二階の奥の部屋からは、新宿《しんじゅく》の夜景も見える。若い女性の部屋らしく暖色系でまとめられたインテリアに、雑貨類。木目の丸テーブルが置かれ、読みかけのファッション誌と今朝の朝食の名残《なごり》とみられる中身の入った珈琲《コーヒー》カップがのっていた。

「やだ、ちょっと待ってて」

脱ぎ捨てられた下着がベッドの上に放置されていたのに気づいて、菜摘が慌てて片づけに飛び込んだ。いくら相手が弟でも、これは恥ずかしいらしい。

「あがっていいよ」

お茶を一杯《いっぱい》いただくことにして、千秋は部屋に入った。部屋を見れば人となりがわかる。菜摘はそれほど片づけ上手ではないようだ。朝はかなり大急ぎなのか、メイク道具がそのままになっている。ドラマでも録っていたのか、ビデオの束《たば》がテレビの横に重なっていた。生活感があって適度に雑然とした感じが、かえって落ち着いた。

「ウーロン茶でいい?」

菜摘がマグカップを持ってきた。小さなキッチンスペースには調味料が並んでいる。一応、簡単な料理は作っているらしい。水で戻した「ひじき」が笊《ざる》に山盛りになっていた。

「はい、おにぎり」

先程「忘れた」おにぎりが皿に載って登場した。そんなに空腹ではなかったが、こうなったら食べないわけにもいくまい。半分ヤケ気味におにぎりにかぶりついた。中身は、たっぷりの

「ひじき」だった。

「はい、おみそ汁」

今度は温め直したみそ汁がお椀《わん》で登場だ。菜摘はその横でニコニコと弟を見つめている。

「ど？　おいしい？」

千秋は困惑してしまっている。……どうも調子が狂う。

「どんどん食べてね。いっぱいあるから」

と山盛りの「ひじき」を指さして言う。内心「けっこうです」と言いかけたが、家庭のみそ汁など食べたのは、本当に久しぶりだと気がつくと、結構感慨《かんがい》深かった。いつもは手作りとは言っても、牛丼屋かホカ弁屋のみそ汁だ。千秋家の味は薄味らしい。舌《した》が憶えているのか、妙に馴染《なじ》み深く感じて、戸惑った。

「おみそ汁だけは母さんに誉められたのよね。他は全然駄目だけど、……これだけ。母さんに合格もらえたの」

千秋は思わず箸《はし》を置いた。

「どうしたの。なんか入ってた？」

「いや……。なにも」

「じゃあ、なに」

いきなり目に涙が滲《にじ》んできた自分に、千秋は驚いたのだ。千秋の記憶にはない。だがこの体が知っている味だ。体が懐かしさで感動してしまっているのだ。

（妙だな）

　と千秋は思った。自分が封印した脳の部分が反応しているのだ、きっと。そうでなければ、自分には何の思い入れもないはずのみそ汁に、胸がこんなに切《せつ》なくなるはずはない。自分の感情なのか、体にそう思わされているのかわからなくて、少なからず混乱してしまった。これ以上食べたら、封印した脳が目覚めそうでさすがに怖くなったのだ。

「そっか。おなか減ってないんだったっけ」

　自分のみそ汁で、少しでも記憶が戻るのではないかと思った菜摘は、やや残念な顔をした。だが千秋の目が僅《わず》かに潤《うる》んでいるのに気がついて、菜摘は安堵したように残ったおにぎりをアルミホイルでくるみはじめた。

「記憶喪失っていうから、別人になってるかもって心配してたけど、……或《あ》る意味ほんとに別人みたい。ていうより、昔より全然話しやすくなったよ。つか、いい男になっててびっくり」

「そーか？」

「大人になったんだねぇ、修平」

　菜摘は温かく見守るような眼差《まなざ》しだ。

「こんな風にして見つかるなんて、夢にも思わなかったから……。本当に、つい昨日までが嘘みたい。お母さんたちにも電話で知らせたよ」

「もう知らせたの」

「当たり前でしょ」

　といって菜摘は少し目を伏せると、真面目《まじめ》な口調になって言った。

「母さんも……お義父《とう》さんも喜んでた。お義父さんも、あのときのことはもう許してるから、心配しないで家に帰ってこいって。もう、大丈夫だからって」

終わりのほうの言葉はなぜか深刻そうだった。腿の上で組んだ手に少しだけ力がこもっていた。家族と〝修平〟の間にどんな「過去」があったのか、薄ぼんやりと千秋は察するのだ。

「母さん達、来るのか。東京まで」

「すぐにでも来たいって。でも今、義父さんの体調がすぐれないらしくて……。あんたがいなくなってから、ずっと、うちん中、暗かったんだから。家出か、何か事件にでも巻き込まれたのか、もう……生きてないんじゃないか、なんて」

千秋の表情がわずかに強《こわ》ばったが、菜摘は気づかず、

「母さんなんて、体重が十キロも減っちゃったんだから」

「………」

「すぐには無理かもしれないけど、再会できたら、ちゃんと『お母さん』って呼んであげて。ね？　思い出せなくてもいいから」

千秋は複雑な心境だ。菜摘は弟を気遣って、必要以上に詮索《せんさく》はしない。だけど、一度は壊れ

た家族の絆《きずな》を修復しようとする菜摘の切実さは伝わってくる。

「……あっ。ごめん！　これじゃプレッシャーかけちゃうよね。それよりさぁ、うち、おこた買おうと思うんだけど、一人暮らしサイズってなかなかないんだよね。ホットカーペットのほうがいいかなぁ」

　鈴を鳴らすような声は聴き心地がよくて、気がつくといつの間にか、この部屋にすっかり落ち着いてしまっている。

　朗《ほが》らかな菜摘の人柄のせいだろう。この部屋の空気は居心地がいい。菜摘のお喋《しゃべ》りには邪気《じゃき》がなく、長くいても鬱陶《うっとう》しくならない。波長が合うのか。会って間もない相手という気がせず、このまま何時間でも一緒にいられるような気がした。そんな感覚も「修平」の脳からの影響なのだろうか。

「みかん、食べる？」

　菜摘がぱっちりと開いた丸い瞳で上目遣《うわめづか》いに問いかける。美形姉弟なのだ。だけど童顔な菜摘は、いくら姉ぶって見せても、千秋の目にはかえって可愛らしく見えてしまう。さらさらの髪、柔らかな肌《はだ》、ほんのり赤い頬《ほお》、潤《うる》んだ唇《くちびる》……。

（やばいな……）

　気がつくと、もう十二時近い。

「お、俺、そろそろ帰るわ」

「えっ。もう帰っちゃうの？」

菜摘は名残惜しそうだ。立ち上がりかけた千秋の袖《そで》を摑んで、

「ねえ。ほんとうに一緒に住まない？」

千秋も思わず真顔《まがお》になった。菜摘は上目遣いで、

「あたしが一緒なら、お母さんたちも安心だと思うの。記憶も戻るかもしれないし。どんな仕事しててもかまわないから、ね？　考えてみて」

すがるような眼差《まなざ》しだ。千秋は一度吐息をつくと、苦笑いして「考えとく」と答えた。

「おにぎり、サンキューな」

菜摘は外まで見送りに出た。千秋の姿が街灯の向こうに消えるまで見送っていた。超高層ビルの明かりはもうほとんど消えている。今は、航空障害灯がビルの形を示して夜空に点滅するばかりだ。千秋はアパートを後にして歩き出した。夜風は刺すように冷たかったが、心の中はほろ酔いしたように温かかった。

（〝一緒に住まない？〟……か）

妙にこそばゆいような、くすぐったいような。姉の菜摘には他意のない誘いでも、赤の他人の千秋の耳には別の響《ひび》きを伴って聞こえてしまう。千秋には別にそういう願望もないが、言われてみるのは悪くない気分だ。浸《ひた》るだけなら罪にはならないだろう、と思い、余韻《よいん》を愉《たの》しみながら、夜の街を闊歩《かっぽ》した。

そして、ふと我に返るのである。

（俺はなにをしてるんだ……）

深夜のホテルのロビーは人気が少なかった。戻ってきた千秋を再び待ち構えていた者がいる。高耶《たかや》だった。

ファーのついたジャンパーを着込んでいるが、バイクではなかったらしい。最終の特急で松本《まつもと》から出てきたところだった。

「こんな時間までどこほっつき歩いてたんだよ」

芝公園の現場から一足先に戻っていることは、八海から聞いたようだ。千秋はばつが悪そうに頭をかき、ぶっきらぼうに答えた。

「………。オンナんとこ」

「おん……っ。てめ、こんなときに！」

がなりたてようとしたが、抑え込み、やけに分別くさい顔になって睨《にら》み付けた。

「──プライベートでおまえが何しようと、オレの知ったこっちゃねーが、こんな時に下手に遊び歩いたら無関係の現代人を巻き込みかねない。少し慎《つつし》め」

「おやおや。プライベートだなんて、マセたこと言うようになったじゃねえか」

「例の肉親のところか」

言い当てられて、千秋はハタと目を見開いた。誰に聞いたのかと問うと、直江からだという。菜摘と会っていたこと、高耶はお見通しだったようだ。部屋で話そう、と言って高耶がルームキーを投げてくる。最近使い始めた催眠暗示でフロント従業員に出させたらしい。

「直江は今晩、現場に詰めて帰ってこない。その部屋を使わせてもらう」

肩を竦《すく》めて、千秋はエレベーターに乗り込む高耶についていった。扉が閉まると、高耶が問いかけてきた。

「おまえのその宿体、成人換生だったんだろ」

千秋は壁にもたれてルームキーのチェーンを指先で振り回している。

「よく会えるよな」

千秋は鍵を掴んで、少し足元を見つめた。エレベーターの扉が開く。降りてすぐの自分の部屋に入ると、千秋は冷蔵庫からミネラルウォーターを取りだした。

「なんか文句でも？」

「後ろめたさってやつが、おまえにはねーのかって訊いてんだ」

成人換生とは、ある程度年齢を重ねた相手に換生することだ。千秋の場合ほんの三年前だ。ほんの三年前に換生した。元の宿主はその時すでに少なくとも十五、六歳だったことになる。胎児換生した高耶たちとは違い、すでにこの世に生を享《う》け、人生半ばだった相手から肉体をのっとったということだ。高耶は腕組みをして、険《けわ》しい目つきで壁に凭《もた》れている。

「直江が言ってた。おまえは昔から成人換生も厭《いと》わない奴だったって」

「あー……、そのとおり」

「どーゆー神経してるんだかな」

押し殺した声に非難をこめて、高耶は言った。

「……換生のことを知った時、オレにはどう受け止めていいかわからなかった。本来なら今頃この体で『仰木《おうぎ》高耶』を名乗ってた奴がいただなんて。それだけじゃない。美弥《みや》やおふくろたちに、どう顔向けしたらいいのか。後ろめたい思いでいっぱいだった」

苦い思いを嚙《か》み殺していた高耶が鋭く目を上げた。

「その体で生きてること、家族にどう説明するんだ」

「………。あいにくだが、俺には罪の意識なんかねーよ」

「千秋」

「昔っからそーゆー方面には疎《うと》いタチでね。おまえらみたいに、いちいち深刻ぶったりできねーの。てめえの感傷押しつけられても困るんだよな、大将」

飲みかけのペットボトルに蓋《ふた》をして、高耶に投げ渡した。

「俺は俺。おまえはおまえ。使命果たすために生き延びる方法についちゃ、大将のおまえにも制約はつけらんねえ。だったら、いちゃもんつけられる筋合《すじあ》いもねーわけだ」

「なぜ催眠暗示を使わない」

高耶は厳しい口調で言った。

「しがらみは作らない、後腐《あとくさ》れは残さない。それがおまえのやり方だったんじゃないのか」

「……………」

「長秀《ながひで》」

不意に原名を呼ばれて、千秋は目を見開いた。高耶から原名を呼ばれるとドキリとする。景虎の記憶はもうだいぶ戻ってきているらしい。その変化に時折こちらのほうがついていけなくなる。千秋は押し隠すように溜息《ためいき》をつき、

「白紙にすりゃ救われるってもんでもねーこた、てめえだって身を以《もっ》て知ってるくせに」

直江とのことを指摘された気がしたのか、今度は高耶が詰まってしまう。心配すんな、と千秋はベッドに転がった。

「話こじらすほどアホじゃねえ。それよりてめえの心配しろ。成田《なりた》から小姑《こじゅうと》みたいにつつかれてうるさいったら。それもこれもおまえが優柔不断《ゆうじゅうふだん》だからだ。〝普通の生活〟とやらに、そろそろ見切りつける覚悟決めるんだな」

わかってるさ、と呟いて高耶は部屋を出ていった。

ひとりになると、千秋は寝転がったまま菜摘に渡されたみやげを手に取った。アルミホイルを剝いで、冷えたおにぎりを、ひとつ頬張った。中からはごっそり「ひじき」が出てきた。

菜摘の面影が染みついている。

まじまじと手の中のおにぎりを見つめて、千秋は溜息をついた。

（……惚《ほ》れたかな……）

＊

「来てくれたの、修平！」

玄関先に現れた千秋を、菜摘は感激の笑顔で迎えた。翌朝である。「現場」に赴《おもむ》く前に、おにぎりを詰めたタッパーを返そうと菜摘のアパートに立ち寄った千秋だ。菜摘は大喜びして、

「ちょうどお弁当届けようと思ってたとこ！　あがって！」

「いや、これから仕事だから」

「え？　そうなの」

すると菜摘は、自分も出かけるから、と言って駅まで一緒に行くことになった。土曜日の朝は出勤する者もまばらで、人通りはいつもより少ない。千代田《ちよだ》線で表参道《おもてさんどう》まで行くという菜摘と途中まで一緒になった。普段は通勤通学客でぎっしりになる電車の車内も、今日は空間に余裕があって、休日らしき普段着の乗客でかろうじて席が埋まる程度だ。吊革《つりかわ》につかまって、菜摘はぼやいた。

「あーあ。うちの会社もヤバイのかなぁ。残業手当ケチって残業禁止令出てるおかげで、しわ寄せが休日に来るんだよね。みんな、うちに仕事持って帰ってるんだよ。ひどいと思わな

い？」

　会社に忘れた資料をとりに向かうところだという。

「今朝の占いも最下位だったもんなぁ……。あ、ちなみに修平の牡羊座《おひつじざ》は一位。よかったね」

（この上目遣《うわめづか》いがよくねーな）

　こんなに可愛らしい顔で、パッチリしたどんぐり眼を上目遣いにして見上げられると、男としては結構グッときてしまうのだ。

「でも占いの通りだったな。〝待ち人きたる〟って。それ修平のことだよね」

「占い好きなの？」

「うん」

　菜摘は隣の千秋を見上げて、にっこり笑った。

「星占いとか相性占いとか、ついついハマっちゃうんだな」

「相性占い？　姉さん、彼氏いるの？」

「両想いだったら、占いになんてのめりこまないよ、あはは」

　と言って菜摘は照れくさそうに顔を真っ赤にした。

「いい結果出ると、何度も何度もしつこく読み返しちゃうんだな。まるで想いが叶ったみたいに、カオなんかにんまりしちゃって、反芻《はんすう》しまくって胸一杯。妄想《もうそう》に耽《ふけ》っちゃう。不毛だけどシアワセな気分になるんだから、それくらいイイじゃん許してやってよってカンジ」

「告白はしたの？」

「で、できるわけないよ！　……かないっこない相手だし、さ」

誰？　と訊くほど無粋《ぶすい》ではない。教えられても知らない誰かだ。一抹《いちまつ》の「がっかり」を感じながら、千秋が見下ろすと、菜摘は深い溜息をついている。明るく言ってはいるが、真剣に悩んでいるらしい。

「……。あたって砕けてみたら？」

「ううん。だめ。今の関係が台無しになっても困るし」

と少し真顔《まがお》で言って、すぐまた笑顔を取り戻した。

「でも今のあたしには修平が見つかったのが何よりも幸せ。捜索願は取り消したよ。来週にもお母さんたち東京に来るって。その前に芳紀義兄《よしきにい》さんが会いたいって言ってる。今日の夜とか、時間作れない？」

千秋は少し黙った。ほどほどにしなければ、との想いが働いた。高耶の言うとおり、これ以上の深入りは、お互いのためにならない。

「悪い。今日はダメだ」

「明日は」

「明日も」

菜摘の表情が曇《くも》ったので、千秋は慌てて取り繕《つくろ》うように弁当箱の入った紙袋を持ち上げた。

「タッパーは返しにいく」

「うん」

念のため、と言って菜摘は財布からどこやらの店のカードを取り出した。

「芳紀義兄さんと夕食の予約とっちゃった。もし少しでも来られそうなら、来て。閉店まで待ってるから」

春の陽射しのような笑顔をカードと一緒に残して、菜摘は表参道駅に降りた。電車がホームから滑り出ていき、手を振って見送る彼女の姿が見えなくなると、千秋は笑顔を消して、暗い窓に映る自分を神妙な顔つきで見つめた。

(……多分、「修平」の気持ちに感化されてるんだろ)

夜叉衆《やしゃしゅう》の仲間がひょんなことで宿体の記憶に触れて感化されてしまった例なら、かつて何度かあった。幸福な気分に浸っている自分が滑稽《こっけい》に思えてきて少し笑うと、虚しさを感じた。先程まで菜摘が摑んでいた吊革を握ってみた。菜摘のぬくもりが残っている。妙に切《せつ》ない気分だった。

(不毛なのはどっちだ……)

現場の拠点・増上寺《ぞうじょうじ》には一足早く、高耶が直江たちと合流していた。先に出たのに、自分より遅れて到着した千秋を、高耶は咎《とが》めるような目で睨《にら》み付けてくる。時々怖いくらいに察しがいいのである。菜摘との「しがらみ」を断つ気配のない千秋に、どういうつもりなのか、と無言で不審をぶつけてくる。

(優柔不断なのは、俺も同じか)

「交替だ、直江。帰って休んでいいぞ」

徹夜の監視で直江の表情にも疲労が濃い。

「蛇骨入道の入手を知って織田が動き出しているという情報が入った。ここを狙ってくる可能性が高い。くれぐれも監視を怠《おこた》るな」

「りょ――かい」

直江は高耶に挨拶もなく、車に乗り込んで去っていった。高耶は険しい顔で見送っている。京都から帰ってきて以来、こんな調子だ。お互い言いたいことはあるくせに、それが嚙み合わない。直江が去ると、何かが抜け落ちるように苦しそうな眼をする高耶を、千秋は見逃すことがない。八海《はっかい》が耳打ちした。つい先刻も二人で口論していたという。

(そんなカオして……)

振り返った高耶は、感情を殺して、冷静な眼差《まなざ》しになっていた。

「岩村城に放った《軒猿》から報告があった。やはり岩村御前の霊はいなくなってる」

「蛇骨入道に合体したってことか」

「ああ。それより城兵どもの念が暴走気味になってるらしい。恐らく怨霊群を牛耳《ぎゅうじ》る主導霊が喪《うしな》われて、不安が高まっているんだろう。このままでは城跡を崩壊させかねない。蛇骨入道は岩村城に一旦戻したほうがよさそうだ」

「一揆《いっき》の連中を倒して社《やしろ》から持ち出すのか」

「できるだけ穏便に済ませたいが……。話の通じる相手ならいいんだがな」

と言って、高耶は芝東照宮の境内《けいだい》にある大銀杏を見やった。ここ数日、目に見えてわかるほど、枝が伸び始めている。しかも異様な曲がり方だ。蛇骨入道の《邪気《じゃけ》》の影響をまともに受けているらしい。

「……明日、惣国一揆の幹部たちがあそこに集まってくる」

高耶は視線をずらさないまま、そう呟いた。

「蛇骨入道の引き渡しに応じるよう、説得してみる。応じない場合はやむを得ない。力ずくだ。万一の被害に備えて決行は深夜とする」

「………。どの道、《調伏《ちょうぶく》》しねえとなんねーんだろ」

いつもの不敵な眼差しに戻って、千秋は鼻を鳴らした。

「さっさと片づけて、松本に帰るさ」

第三章　真実と勇気

きらびやかな飾り付けを施された樅《もみ》の木のそばに、そのレストランの明かりがあった。神宮外苑《じんぐうがいえん》にある店は、土曜の夜ともあって、カップルで満席のようだ。テラス席もあるが、さすがにこの寒さでは使う客もいない。

向かいの歩道から、千秋《ちあき》はその店を眺めていた。都会の真ん中の森に、灯る明かりが温かい。

窓際の席に、菜摘《なつみ》の姿がある。向かいに座るスーツの男が、再婚した義父の連れ子という兄だろう。ノースリーブのカシミヤニットに身を包んだ菜摘は終始朗《ほが》らかな笑顔だ。こうして見ていると兄妹というより、恋人同士に見える。ワインでほんのり紅潮した彼女の顔は、どことなく幸福そうだ。

テラスの電飾が眩《まぶ》しい。

千秋は店には入らなかった。離れたところから見ているだけだ。

あの明かりの中に入ってしまえたら、自分はどうなるだろう。

自分が「修平《しゅうへい》」の代わりになれるわけでもなかろう。だけど、妄想《もうそう》してしまうのは、心のどこかでそんなカタチの幸福に憧《あこが》れているからではないのか。彼ら「初生人《しょせいじん》」らと歩調を合わせて、この肉体が老いて死ぬまでの時間、「しがらみの中の幸せ」とやらを甘受《かんじゅ》する暮らしに身を置いてみてもいいのではないか。ふら、とそんな風《ふう》に気持ちがよろめく。

そんな風に揺らぐのは、独《ひと》りが長すぎたせいなのだろうか。

「もうすぐ閉店だぞ」

後ろから不意に声をかけられて、驚くと、植え込みのそばに高耶《たかや》が立っている。

「……なんだよ。ついてきてたのかよ」

「入らなくていいのか」

「ちっ。おせっかいやろーめ」

「あのひとか？　おまえの宿体《しゅくたい》の姉さんってのは」

現場に戻った直江《なおえ》たちと監視を交替して、密《ひそ》かに千秋の後をつけてきたようだ。千秋の視線を追って、高耶は言った。

「あの、一緒にいる奴は？　彼氏？」
（ア）
と千秋は思った。

不意に気がついてしまったのである。菜摘の「片思い」の相手――。

「可愛いひとだな」

「俺の『姉』だけあるだろ――が」

「惚《ほ》れちまったのか？」

さりげなく問われて、千秋はふと目を見開いた。すぐにいつもの軽口に戻り、

「ンなわけねーだろ。俺の好みはナイスバディで色っぽい……」

「千秋。あのひとはだめだ」

と高耶が「景虎」の口調で忠告した。

「おまえにとっては『他人』でも、あの人にとっては実の『弟』だ」

「……………」

「わかってるんだろ」

報われはしない。姉弟という肉体のタブーを云々《うんぬん》する以前の問題なのだ、多分。〝千秋修平〟は菜摘にとって恋愛対象の範疇《はんちゅう》には入っていない。血の繋《つな》がらない、連れ子の兄ならば、ともかく、だ。〝実の弟〟では……どうにもならない。

「――仮に俺が〝換生《かんしょう》した他人〟だと明かしても……？」

「千秋」

ふと、店の中にいた菜摘がこちらに気がついた。窓越しに手を振っている。去ろうとする千秋の腕を摑《つか》んだのは高耶だ。

「こっちに来る」

上着も羽織《はお》らず、菜摘が店から飛び出してきた。

「嬉しい！　やっぱり来てくれたんだね！　……こちらは？」

「同僚の仰木《おうぎ》くん」

高耶は慌てて「はじめまして」と答えた。菜摘も「いつも弟がお世話になっています」と頭を下げた。そして満面の笑顔を千秋に向けてくる。

「間に合ってよかったあ。来てくれると思ったんだ。こんな寒いところに突っ立ってないで、早く中入って。芳紀《よしき》義兄さんも待ってる」

「これから出勤なんだ」

「え？　お店は改装中なんじゃ……？」

「他の店でバイトしてる。弁当箱返そうと思って」

千秋は紙袋に入ったタッパーを差しだした。

「ごちそうさん。うまかった」

「修平……」

「早く中に戻りなよ。そんな恰好《かっこう》じゃ風邪《かぜ》ひく。……義兄さんによろしくね」

と言い残して千秋は歩き出した。引き止めようとする菜摘を阻《はば》むように、高耶が軽く会釈して小走りに千秋を追いかけた。ノースリーブの菜摘は寒風の中に立ち尽くしている。

千秋は振り返らなかった。オレンジ色の街灯に照らされた銀杏並木の道を、地下鉄の駅目指して歩み去っていった。

「どういうつもりなんでしょうね。長秀《ながひで》の奴」

＊

翌朝、監視交替で一足先に現場に戻った高耶は、直江にここ数日の千秋のことを話してみた。いつもと少し様子が違うことは、直江も気づいていたらしい。朝日が射し込むウィンダムの車内で、芝東照宮《しばとうしょうぐう》の監視を続けながら、直江は言った。

「宿体の家族と会っているなんて……。奴らしくないことです。我々が肉体を奪うとは、言い換えれば、宿主の人生を奪うこと――殺すのも同じこと」

一体どのツラ下げて、殺した相手の家族と会い続けることができるのか、と直江は非難めいた口調で疑問を露《あらわ》にする。

「成人換生しておいて、罪の意識がまったくないのも理解に苦しむところですが……。あれは昔から、少し我々とは異質なところがありましたから」

「異質……」

「執着がないというか、とらえどころがないというか。我々がこだわらずにはいられないような物事に対して、無感であるような……。私は長秀のそういうドライな部分を〝自由〟と呼んで、少し羨《うらや》ましく思うこともありましたが」

ステアリングに軽く手をかけて、直江は眉間《みけん》を曇《くも》らせている。

「あの長秀に限って、罪滅ぼしのためなんかで家族に会うことなどないはずなんですが——」

「おまえ、千秋から聞いてないのか?」

「なにを」

「あいつの宿体のこと」

直江は怪訝《けげん》そうに高耶を見た。

「換生の時に、なにかあったんですか」

「……………。いや。オレも、ついこの間、聞いたばっかりなんだが——」

冬の透き通った青空がビルだらけの街に広がっている。朝の冷え込みで、うっすら曇ったフロントガラスを見つめて、高耶はぼんやり呟いた。

「あいつの体の元宿主、実は自殺を図ったらしいんだ……」

＊

〝修平〟と出会ったのは、海の近くの病院だった。

救急車で運ばれてきた修平は、全身ぐっしょりと海水で濡れていた。そのとき、すでに危篤《きとく》状態だった。

海に落ちた。真夜中だった。日本海に面した小さな漁港だった。バイクで桟橋《さんばし》に突っ込んだらしい。パトカーに追われた挙句《あげく》の事故だとみなされた。だが本当のところはわからない。たまたま近くを通った漁船に発見されて、助け上げられたが、水を大量に飲んでいて、搬送されたときにはすでに心拍・呼吸ともに微弱、心停止状態の手前だった。

救急医療室では、必死の救命措置が施されていた。

(俺はその様を、ただ見てるだけだった……)

生きろ、とも言わず――。

(人生諦《あきら》めていく奴を、ただ見てるだけだった)

結露《けつろ》したガラスに指を這《は》わせて、千秋は小さく溜息《ためいき》をついた。ホテルの窓には、鈍い朝日が滴《した》り落ちる水滴を照らしていた。

――いいのかよ。

安田《やすだ》長秀が〝千秋修平〟の霊魂《れいこん》に呼び掛けたのは、そのたった一言だけだった。

――いらないんだったら、もらっちまうぜ。

下がり続ける一方のバイタルサイン、〝修平〟は抵抗を見せなかった。霊体はすでに半分抜けかけていた。換生する刹那《せつな》、一瞬だけ〝修平〟の記憶と意識に触れた。どこかの家の中だった。大人の男と激しく口論していた。姉と母が泣いていた。バットを握り、相手の男を殴り倒した瞬間の視界。倒れる男、床にみるみる広がっていく血だまり。

——俺は義理の父親を殺してしまった……。

——もうどこにも帰れない。

——だから……もう。

(〝修平《こいつ》〟は望んでいた……)

五指をガラスに這わせて、千秋は結露に滲《にじ》む街を見やる。

望んでいた。この世から消えてしまうことを。

(事故じゃない。あれは自殺だった)

肉体から離れた〝千秋修平〟がどうなったかはわからない。千秋が換生した後、肉体は驚くほどの回復力をみせ、〝修平〟を追っていた警察の事情聴取を受ける前に、病院を出て姿をくらました。パトカーはどうやら検問無視して逃走した〝修平〟のバイクを追っていたようで、彼は自分を捕まえるための検問だと勘違いしたらしいが、実際は彼の起こした障害事件とは無関係だった。家族は通報もしていなかった。出されたのは、「捜索願」だけだったのに。

(あいつは義父を殺したと思いこんでいた)

目覚ましのアラームが鳴った。ほとんど眠れないでいた。

菜摘の顔がちらついて眠れなかった。

——仮に俺が〝換生した他人〟だと明かしたら……。

(明かしたら、弟を助けなかった酷《ひど》い奴だって言って、なじられるだけだろ)

それとも〝修平〟になりすまして、仲のよい「姉弟」にでもなってみるか……？

（このヤバイ気持ちを押し殺して？）

「ちくしょう……」

とひとりごちて、火照《ほて》る頭をもてあましながら仰向《あおむ》けにベッドに倒れ込んだ。よりによって、だ。報われない恋をするほど、愚《おろ》かじゃない。俺はおまえらなんかとちがって、どうにもならない想いになんか、がんじがらめになったりしない。

（俺はごめんだよ……）

さんざんみてきたから、ごめんだよ。

地獄を承知で踏み込めるほど、俺は強い人間なんかじゃない。破綻《はたん》を恐れず飛び込んでしまう暴挙を人は無謀と呼ぶが、ブレーキもかけず恋愛の衝動に身を任せられるのは或る意味、勇敢なのだ。相手をも地獄に巻き込むと知りながら、そこに飛び込んでいく勇気はない。向き合うのは苦しいだけだと知りつつ、報われない想いに身を投げてしまうには、

（……この体の中にある魂《たましい》は小心すぎるんだろうよ）

だしぬけに部屋のチャイムが鳴って、千秋は飛び起きた。高耶が起こしに来たのだと思った。いけない。こんな情けないところを気取られてはたまらない、と思い、いつもの自分に戻るよう顔をはたいて、ドアを開けにいった途端、息が止まった。

菜摘がそこにいる。

「おはよう。修平」

この寒い中自転車で駆け付けたのか、頬をりんごのように真っ赤にして、息を弾ませている。ダウンジャケットに身を包んだ菜摘は、弁当の入ったキルティング袋を差しだした。

「間に合ってよかったァ。はい、今日のお弁当」

日曜だというのに早起きしたのだろう。まだ目が腫《は》れぼったい。呆然としている千秋に、菜摘は照笑いし、

「へへ、がんばっちゃった。鬱陶《うっとう》しがられるかと思ったけど、つい……。昨日はごめんね。でもどうせ外じゃろくなもん食べてないんでしょ。これで、たっぷり栄養——」

物も言わず、菜摘を抱きすくめた。

菜摘はびっくりして固まってしまった。

固く菜摘を抱きしめて、千秋はその髪に顔を埋めている。

「……修平……？」

*

日が落ちてから、芝公園一帯は緊迫し始めていた。

　芝東照宮は人の出入りが激しくなってきた。伊賀惣国一揆《そうこくいっき》の怨将たちが集結している。東京タワーのシルエットが赤昏《ぐら》い夕焼けに浮かび上がる。影絵のような木々が敷地を縁取り、やがて街灯が瞬《またた》き始めた。芝東照宮の小さな境内は、まるで夜祭りだ。裸電球が参道に並んで灯っていて、出店があってもおかしくないくらいだ。社務所の玄関は開けっ放しになっていて、出入りの人々で賑《にぎ》やかである。

「千秋。どこ行ってたんだ」

　夕刻になってようやく現れた千秋を、高耶が苛立《いらだ》った声で迎えた。

「悪ィ。頭冷やしてた」

「……そーか」

　高耶は詮索《せんさく》しない。千秋もどこで何をしていたかは言わない。だが頭は切り換えてきたらしい。

「連中の動きは」

「奉行《ぶぎょう》らしき連中が集まってきた。もうすぐ会合が始まる」

　景虎《かげとら》様、と背後から直江が駆け寄ってきた。

「包囲を完了しました。警戒態勢は万全です」

《軒猿《のきざる》》を総動員して取り囲《かこ》み、一般市民の進入をシャットアウトしている。不測の事態に備えて、辺《あた》り一帯を防護するためだ。いざとなれば、防御結界が発動して、公園内だけ完全に封鎖させてしまうことも可能だ。

「八海《はっかい》。蛇骨入道《じゃこつにゅうどう》のほうは。異常ないか」

「今のところ、感知されておりません」

「よし、引き続き監視を続けろ。直江、おまえは裏手にまわって、中の様子を」

「御意《ぎょい》」

「千秋、おまえは一緒に来てくれ。段取りは昨日決めた通りだ。いいな」

「オ――ライ」

やがて集まった人々は社務所に全員入っていき、玄関が閉められ、会合が始まった。惣国一揆の奉行たちは全部で十名。十九時、時間も予定通りだ。高耶はトランシーバーに向かって告げた。

「作戦を開始する」

配置についた《軒猿》からの状況確認を受けて、高耶と千秋は芝東照宮の境内《けいだい》に向かった。その手前の小さな広場まで来たふたりは、ふと、鳥居《とりい》の前に停まった黒塗りの車に気がついて、木陰に入った。

「待て。誰か来る」

黒塗りの後部座席から降りてきたのは、その車のステータスから見れば少し違和感を感じさせる、普段着の少年だった。華奢《きゃしゃ》な体つきの、男子高校生風。金髪に近い栗色の髪に、やや日本人離れした白い肌の美少年だ。高耶も千秋も、アッと目を剝《む》いた。

「森蘭丸《もりらんまる》……ッ。蘭丸じゃねーか！」

「なんで、ここに！」

ハッと高耶たちは顔を見合わせた。織田《おだ》と敵対する惣国一揆の奉行のもとに、蘭丸がやってくる理由。まさか和平交渉にでもやってきたというのか。あの織田が？

「懐柔策《かいじゅうさく》にでたとでも？」

直江たちも気づいたらしい。咄嗟《とっさ》に動きかける味方に「待て」と命じて、高耶たちは蘭丸の動向に目を凝《こ》らした。何人かの供を従えて、蘭丸は鳥居をくぐっていく。

『景虎様』

八海から連絡が入った。

『敷地内の霊力値に異常が見られます。第三者の介入の気配です』

「なに……ッ。織田か」

「景虎！　見ろ！」

振り返った高耶の視界に飛び込んできたのは、次々と出現する怨霊たちだ。蘭丸の通った道を追うように、地下から怨霊が沸き起こってくる。惣国一揆の連中が張った結界は地下にまで力が及ばない。蘭丸は術を用いて易々《やすやす》と怨霊たちを侵入させたのである。

「こいつは和平交渉なんかじゃない」

（まさか岩村御前の霊を……ッ）

境内の大銀杏《おおいちょう》の枝が風もないのに、突然大きく揺れ始めた。直感的に高耶が動いた。

「防御結界を発動しろ！　来るぞ！」

ドオン、という轟音《ごうおん》と共に、猛烈な震動が起こった。大銀杏の幹に亀裂が走った途端、真っ二つに割れて火を噴《ふ》いた。境内の結界が消滅すると同時に、織田の怨霊が怒声をあげ、社殿めがけて階段を駆け上がる。蘭丸が声を張り上げる。

「一気に包囲しろ、岩村御前を抑え込むぞ！」

異変に気づいて社務所から惣国一揆の奉行達が飛び出してきた。「襲撃だ！」「応戦しろ！」と口々に叫び、たちまち念の応酬となった。

「うおおおお！」

蘭丸が念を社殿に撃ち込む。ドオッと猛烈な破壊音があがり、社殿が半壊した。

「いかん！　蛇骨入道が……！」

高耶たちも黙って見てはいられない。すぐにトランシーバーに怒鳴り、

「蛇骨入道が覚醒してる！　暴走の危険がある。防御結界を強化しろ！」

『景虎様！』

悲鳴のような直江の声が聞こえたと思った次の瞬間、バリバリバリと異様な衝撃が足元を襲い、社殿から四方八方へと巨大な亀裂が地面に生じた。石段が崩れ、アスファルトが割れる。

更に防御結界を突き抜けて、目の前の道路にまで断層が走った。

「いかん！」

車の急ブレーキ音があがり、衝突音があがった。そこここで陥没《かんぼつ》を引き起こしている。亀裂は地下まで達している。この直下には地下鉄も走っている……！

「千秋！　駅に潜《もぐ》って地下鉄の運行を止めさせろ！」

「くそ！」

聞き終わらないうちに千秋が地下鉄入り口へと走り出した。覚醒した蛇骨入道の力は、予想以上に激しいものがある。社殿から黒い影が現れた。髪の長い女の顔を持つ、蛇だ。骨格だけの大蛇だ。頭だけが、女のものなのだ。

「でたな、岩村御前……。おとなしく岩村の窟《いわや》に封じられておればよいものを」

全身に闘気を孕《はら》ませて、蘭丸は言い放った。

「逆恨《さかうら》みの怨念なんぞは片腹痛い。殿の御復活も間近き折、うるさき身内は黙らせておかねばならん」

「織田を滅ぼせ！」

惣国一揆の奉行たちが蛇骨入道を中心にして対峙《たいじ》する。

「我らが敵、織田を滅ぼせ！」

さらに猛烈な勢いで地面が割れた。亀裂が走った。蛇骨は何重にも分裂して地面のそここから襲いかかる。「抑え込め！」と高耶が叫び、《軒猿》らが防御結界を強化する。

「戦闘を中断させろ！　直江、社殿に飛び込むぞ！」

「御意！」

地下鉄出口も壁や階段がそこここで崩れている。蛇骨入道の暴走で、大銀杏が妖木と化し、鋼《はがね》のごとき強靭《きょうじん》な根が一気にはびこったらしい。構内では突然壁や天井が崩れだし、地下鉄駅も大混乱している。幸い、駅に電車はなく、近づいている車両もなかった。しかし頻繁《ひんぱん》に行き来している路線だ。千秋は駅事務室に飛び込んで強引に電車の運行を非常停止させた。そしてパニックに陥《おちい》っている乗客に向けて怒鳴った。

「御成門《おなりもん》側の出口は使えない！　落ち着いてA2、A1出口のほうへ！」

休日であるため、乗降客は格段に少ない。それが幸いだった。電気系は生きていて、ホームの照明がついていたため、最悪のパニックにはならずに済んだ。だが暴走が更にひどくなれば、ここも崩れる危険性がある。

「慌てず、急いで！」

「修平！」

甲高《かんだか》い女の声に、千秋はギョッとして振り返った。逃げる乗客の中に、思いがけない顔がある。目を疑った。

菜摘ではないか。

「な……ッ。菜摘さん、どうして！」

「ごめん、ごめんね！　どこで何してるのか、どうしても知りたくて……ッ」

「ついてきてたのか。なんで、そんな……！」

「だって受け取ってくれなかったでしょ！」

半ベソをかきながら、菜摘は叫んだ。

「このまま二度と会えなくなりそうだったんだもん！」

千秋は呆然とした。菜摘の弁当を受け取らず、黙って家に帰したせいだ。そのときの千秋のひどく思い悩んでいる表情に、菜摘は急に不安になってしまったのだ。

「もうこれ以上、家族バラバラになるのは嫌なの！」

天井のコンクリートが崩れだした。咄嗟《とっさ》に千秋が菜摘に覆《おお》い被さった。幸い表面が崩れただけだったが、事によってはこのまま天井が崩落しかねない。生き埋めはごめんだ、と思い、千秋は菜摘を抱きかかえて、立ち上がった。

「とにかく、逃げよう！　ここは危険だ！」

「きゃあああ！」

壁のタイルを破って、妖異化した銀杏の根がこちらに襲いかかってきた。

「！」

念で一気に砕いた。と同時に千秋は菜摘を抱えて立ち上がった。

「走って！」

鋼のような根が次々と天井を突き破って、ふたりに襲いかかる。千秋はありったけの念でそれらを砕きながら、逆側の出口へと走った。階段を駆け上がり、ようやく外に出ると、芝東照宮の方角から巨大な多頭のヒルを思わせる黒い影が立ち上がってくるのが見えた。

「い、いやあ……ッ。なんなのォッ！」

「正月のまつりさ、ただの」

「えっ」

「ここにいて、菜摘さん。すぐにカタつけて迎えに来るから」

「嘘でしょ！　修平……！」

千秋は菜摘を残して走り出した。芝東照宮では蛇骨入道が手に負えないほど暴れ狂っている。怨霊たちも戦闘どころではなくなっていた。蘭丸も攻撃が思うに任せず手こずっている。

「おのれ……！　殿の叔母上《おば》ならば、織田の天下《てんか》に従うが筋《すじ》であろう！」

「これ以上攻撃するな、やめろ蘭丸！」

「！」

高耶の声を聞いて、蘭丸が振り返った。

「景虎……ッ。チ、貴様らまで首を突っ込んでくるとはな」

「蛇骨入道の怨念をこれ以上あおるな！　すぐに手を引け！　さもないと……！」

「邪魔をするな、上杉《うえすぎ》！」

「景虎様！」

直江が《護身波》で高耶を庇《かば》う。蘭丸は構わず念を叩き込んでくる。その間にも岩村御前の暴れ方はますます苛烈《かれつ》になっていく。

――許すまいゾ、信長！

――殺す、息の根とめる！

「本人もいねーところで、ヒステリー起こされても困るんだよォッ！」

倒壊した鳥居を飛び越して、駆け付けたのは千秋だ。

「千秋ッ」

「おとなしくなりやがれ――ッ！」

その手から放たれたのは、一体の木端神《こっぱしん》だ。帝釈天《たいしゃくてん》「𑖂《イー》」の種字《しゅじ》を観じ、電撃をくらわせる。耳をつんざく落雷音が間近で生じ、直撃をくらって蛇骨入道がもんどりうった。痙攣《けいれん》して、のたうちまわる蛇骨から、這《は》いずりでてきたのは岩村御前の怨霊だ。

《呪ワレロ……呪ワレロ、織田ノ名ニ連ナル者ドモヨ……！》

腐敗したおぞましい姿がみるみる膨《ふく》れ上がっていく。猛烈な大怨霊だ。すでに見境がなくなっていた。毒ガスが噴出するように濃厚な《邪気》が襲いかかってくる。一気に居合わせた者たち全てを呑み込んだ。防御も許されなかった。蘭丸が、惣国一揆の奉行衆が、次々と毒気をくらって倒れ込む。見境のない怨念が高耶たちにまで襲いかかる。……まずい！

「千秋、直江！」

返答するよりも早く印を結んだ。

「〃𑖪𑖹《バイ》〃！」

三人がかりで岩村御前を外縛《げばく》する。《邪気》を寄せ付けない毘沙門天《びしゃもんてん》のオーラに身を包み、高耶たちは声を張り上げた。

「のうまくさまんだ　ぼだなん　ばいしらまんだや　そわか……！　南無刀八毘沙門天《なむとばつびしゃもんてん》！　悪《あっ》鬼《き》征伐《せいばつ》、我に御力《おんちから》　与えたまえ！」

三人の力が巻き起こす気流で、御前の《邪気》が竜巻となって天に吸い上げられる。

「《調伏《ちょうぶく》》！」

打ち上げ花火が一箇所で大量に炸裂したような光が、芝東照宮のあたりから発せられるのを、菜摘は見た。公園一帯に巨大なフラッシュを焚《た》いたかのような凄《すさ》まじい光量だった。その光のもとで、何が起こったのかは、菜摘にはわからない。

網膜《もうまく》に焼き付いた光源が、薄らいでいく。神社一帯は、また、何事もなかったかのように、闇に包まれていった。

いつしか辺《あた》りは消防車やら救急車やらで、騒然となっている。地下鉄出口には立入禁止のロープが張られ、緊急車両の赤色灯が公園の木々を忙《せわ》しなく照らし出していた。

菜摘のもとに、千秋が戻ってきたのは、あれからもう三十分は経った頃だろう。

衣服をボロボロにした千秋を、菜摘は震えながら待ち受けていた。

「姉さん……」

「誰」

青ざめた菜摘の唇からこぼれたのは、そんな短い言葉だった。

「あなた、修平じゃない……誰なの？」

目を見開いて、千秋は立ち尽くした。

第四章　きみは風

昼下がりの公園には、穏やかな陽射しが降り注いでいる。

昼休みに会社を抜け出してきた菜摘《なつみ》は、二人分の弁当を抱えている。呼び出したのは千秋《ちあき》のほうだ。表通りから一本中に入った古い団地街の小さな公園。弁当を食べていると、足元にハトがやってきて、うろうろと歩いている。おこぼれを狙っているらしい。「ごちそうさん」と言って、千秋はタッパーの蓋《ふた》をしめた。

「やっぱ姉さんの弁当はサイコーだなぁ。特に卵焼き」

「なにそれ。嫌味《こ》？」

裏側は見事に焦げていた。拗《す》ねた菜摘をからかいながら、千秋はペットボトルの日本茶を飲み干した。菜摘は箸《はし》の先を舐《な》めて、弁当の蓋をしめた。

「こないだはごめんね、修平《しゅうへい》。変なこと言っちゃって……」

「別にィ。気にしてないし」

「記憶喪失って日常動作まで忘れることもあるんだって。脳の損傷で性格が変わることだってあるって。誤解しないでね。あたしは、修平が生きててくれるだけで嬉しいんだ」

千秋は優しい眼差《まなざ》しで菜摘を見ている。菜摘はかすかに目を伏せた。

「母さんが再婚してから、あんたは少し気難しくなっちゃってね……。母さんにもお義父《とう》さんにもすごい反抗してて、手に負えなかった時期があったんだ。口には出さなかったけど、再婚に反対だったんだよね。あんたは死んだ父さんがすごく好きだったから」

「……」

「父さんが死んで、二年もしないうちに再婚した母さんが許せなかったんだよね。あんたは、あの日お義父さんと大喧嘩して、とうとう怪我まで負わせて、家を飛び出したの。家族全員で捜したけど、見つからなかった」

日なたにはうららかな陽射しが差し込んで、冬を感じさせない。風のない穏やかな昼下がりだ。スナック菓子の欠片《かけら》をついばむハトの群れを見つめながら菜摘は言った。

「だからあの日のこと、憶えてなくて、ありがたいなんて、ちらっと思ったりしちゃった。ごめんね。でも本当。母さんもお義父さんも帰ってきてほしいって思ってる。芳紀《よしき》義兄さんも」

「好きなの？」

どきり、として菜摘が千秋を見た。千秋は悪戯《いたずら》っぽく笑っている。

「芳紀義兄さんのこと、好きなんでしょ」

「……なんだ。バレちゃってたんだ」

ばつが悪そうに、菜摘は頬を軽くかいてみせた。

「多分そう。初めて会った時からだった。母さんの再婚に反対しなかったのは、義兄さんと住めるってそんな下心もあったかな。だから、あんたには後ろめたかったのかも」

「いいんじゃない？　法律的にどうかは知らないけど、血が繋がってるわけじゃないんだし」

「相手にしてくれないよ。義兄さん、大人だし」

「そんなことない」

千秋は微笑している。

「充分魅力的だと思うよ。姉さんは」

菜摘は頬《ほお》を赤らめつつも「口だけはうまくなったよね」と憎まれ口をきいた。

「ねえ、お正月はもう過ぎちゃったけど、小正月の左義長《さぎちょう》があるでしょ？　それに合わせて帰るってどうかな」

千秋は思わず目を瞠った。

「左義長、うー……んと、憶えてないかな。いわゆる『どんど』焼き。お正月の飾りとかを神社で一斉に燃やすの。火がうんと高くあがってスゴイんだ。お餅《もち》焼いて食べるの、あんた好きだったじゃない。あたしもついてくから、一緒に帰省しよ？　実家で一緒に住まなくたっていい。顔見せるだけでいいって、母さんも言ってる。だから」

千秋は何も言わなかった。ただ慈《いつく》しむような眼差《まなざ》しで、菜摘を見下ろし、おもむろに立ち上がった。

「幸せにね。姉さん。後悔しないように」

「修平？」

「たった一度しかない人生だから、後悔しないようにね」

「ちょっと待って……ッ、修平、どこ行くの！」

慌てて立ち上がり、千秋の服を摑《つか》んだ。千秋は振り返り、菜摘の両肩に手を置いて、腰をかがめて目線の高さをあわせた。

「ひとつだけ謝らせてくれ。菜摘さん」

「え……」

「いま思えば、死神みたいに眺めてないで、踏み込んでやるべきだったのかもしれない……。あんたのために」

菜摘は怪訝《けげん》な表情だ。痛そうに見て千秋は頭を下げた。

「あいつを引き止められなくて、……すまなかった」

無論、その言葉の意味は菜摘にはわからない。ひとつ大きく息を吸うと、千秋は菜摘の両眼を覗き込んだ。途端に何かに捉えられたように、菜摘は視線を外せなくなってしまった。

「じゃあね」

催眠暗示をかける。自分との、この数日間の記憶を全て消してやるつもりだった。そうするのが一番いい。最初からこうしてやるべきだった。今更、本人ではない「修平」と思い出を紡《つむ》いだところで、菜摘のためになるとは思えない。それが千秋の結論だった。暗示にとりこまれて菜摘の意識が朦朧《もうろう》としてくる。その唇が何かを言おうとしている。

ふと千秋は目を見開いた。無意識に菜摘が抵抗しているのに気づいてしまったのである。

「菜摘さん」

フ、と念を弛《ゆる》め、暗示を解いた。思わず千秋はそこで記憶の消去を断念してしまったのである。我に返る菜摘の目の前で、千秋は自嘲《じちょう》するような苦笑いを浮かべている。

「修平」

「ごめんね、姉さん。俺、小正月実家には帰れない」

「どうして」

「海外に行くんだ。しばらく帰って来れないと思う。人助けのボランティアなんだ。まっとうな仕事だから、心配しないで。帰国したら、また連絡するよ」

「ほんとに？　ちゃんと連絡してくれる？」

「もちろん」

満面の笑顔で千秋は答えた。

「戻ってきたら、また弁当作ってよ。楽しみにしてるから」

「修平」

「行ってきます。姉さん」

明るい千秋の言葉に嘘は感じられなかった。菜摘は、信じる気になったのだろう。真剣な表情でうなずいた。

「待ってるから！」

ハトが飛び立っていく。

穏やかな陽射しの中、千秋と菜摘は別れた。

さよならは言わなかった。

＊

どうして途中でやめたんだ？

松本《まつもと》行きの特急の車内で、高耶に問われて、千秋は飲みかけのペットボトルを口から離した。

「彼女の記憶、消してしまうつもりだったんじゃねえのか」

「……………。さあな。なんでだかな」

車窓から望める、青空をくっきりと切り取った真っ白な八ヶ岳《やつがたけ》連峰を眺めて、千秋は答えた。

「ただ、そのほうが彼女は幸せでいられる気がしたんだ」

「これでいいのか」

「……」

「おまえ、ホントはあのひとのこと」

「言っただろ。俺は報われない恋はしない主義だって」

この肉体でいる限り、自分が想いを募らせれば、菜摘を混乱させるだけだろう。苦しめるかもしれない。だからと言って『自分は他人である』ことを明かせば、弟がどうなったかまで説明しなければならなくなる。

「『弟は自殺した』なんて聞いて、悲しまない奴がどこにいるよ」

「千秋……」

「彼女を泣かせたくない……」

正しいか否かはどうでもいい。好きだから、そう思う。それだけだ。

「それに俺は、彼女には恨まれたくないわけよ。——ズルい男だから、な」

想いが募るにつれ、もうこれ以上菜摘のそばにいることはできないと感じていた。だから去ることにした。だが記憶は消さなかった。それも自分の狡《ずる》さかもしれない。だが消息不明の弟を気に病んで、暗く重い荷物を背負ったまま暮らすより、幾《いく》らかはマシになるはずだ。この先二度と会うことはなくても、「修平は生きていた」ことが支えになる。この数日の出来事が、彼女の荷物を少しは軽くしたかもしれない。そしてこの先も。

「心配はするかもしれないが、弟は海の向こうで生きてるって言葉が……、いつかは希望の種になる」

「……」

「彼女はきっと悲しまない。笑顔で別れたから、絶望はしない。惚れた女が笑顔で暮らしてんの想像すんのは、なんか、こう……いいじゃねえか」

「千秋」

さばさばと語る千秋に、なにか言い表しがたいデジャ・ヴを憶えた高耶だ。

車窓に広がる八ヶ岳の上半身は冠雪して、まるで白いヴェールをかぶっているかのように見える。

「それがおまえの〝自由〟なのか」

神妙な口調で問いかけてくる高耶に、千秋は鼻を鳴らして、笑い返した。

「誰も救わない真実なら、俺はそいつを呑み込むよ」

線路の継ぎ目が伝える振動を、どこか心地よく感じながら、視線を山の頂《いただき》に返して、歌うように呟いた。

「……俺は風だからさ」

菜摘の記憶を消さなかったのは、もしかしたら、心のどこかで〝弟〟ではない自分を憶えていて欲しいと願ったからかもしれない。尤《もっと》も、菜摘は普通の人間だ。彼女がこの世を去るよりも長く生きるだろう自分が、彼女に「憶えていて欲しい」と願うのは不思議だ。人の記憶より長く生きる自分が、遙《はる》かに儚《はかな》い命に、生きていた証を残したいと思うのは、不思議だった。

特急列車が松本に近づいていくごとに、菜摘の面影が遠ざかっていく気がした。

情熱の燃え残りを嚙みしめながら、彼女と同じ血がこの体に流れていることを幸福に思った。

彼女が体の中にいるようだと思った。

終着駅に着く頃には、遠い思い出に変わっているだろう。

真紅の旗をひるがえせ

直江信綱《なおえのぶつな》がその若者を初めて見たのは窪川砦《くぼかわとりで》の庭だった。

沈丁花《じんちょうげ》の香りがしていた。

四万十《しまんと》の山を包む大気には春の気配が一足早く滲《にじ》み出した。雨に打たれて濃さを増した沈丁花の香りは、直江にふと臨戦中を忘れさせた。

人影を見つけたのはその時だった。

花の陰でうずくまり、何事か、熱心にノートに書き記している者がいる。敵方の偵察屋《ていさつや》かと思い、直江は鋭い声を投げつけた。

――おい、そこで何をしている！

若者はビクリと飛び上がった。味方の隊士のようだった。挙動不審《きょどうふしん》を疑って、ノートを取りあげた直江はそれを見て驚いた。

花の絵だったのだ。

沈丁花だ。備品のチェック票の片隅に、緻密《ちみつ》な線で花弁が描き込まれている。先を震わすような独特の描線《びょうせん》で、細部は一見稚拙《ちせつ》な造形なのだが、全体を見ると鉛筆の単色な色彩を忘れさせるほど生き生きとしていて、花の正体ともいうべきものをよく捉《とら》えているように直江には思われた。描線の一本一本に香りまでも描き取ろうとする執念《しゅうねん》を感じて、直江はまじまじと若者を見た。叱責《しっせき》されると思ったか、小さくなっている。

――珍しいな。こんな雑兵《ぞうひょう》集団に絵心なんて解する奴《やつ》がいたとは。

若者はいたたまれないような表情で直江を睨《にら》み付けていたが、いきなりノートを奪ったかと思うと頁《ページ》を破り、丸めて地面に投げつけた。驚いている直江を尻目《しりめ》に、逃げるように立ち去ってしまった。

その後、直江は砦の人間から彼の事を聞いた。意外にも現代霊だったらしい。叶誠一《かなえせいいち》という、ちょっと変わった苗字《みようじ》の持ち主で、しかもなにやら奇妙な性癖《せいへき》があるらしい。

——人の葬式みるのが大好きらしいんですよ。

その叶と、戦地で再び巡り合わせた時、
彼は高耶《たかや》の姿を呪《のろ》うように見つめていた。

＊

何かが足りない。

突然そう言いだしたのは仰木《おうぎ》高耶だった。

「赤鯨衆《せきげいしゅう》には何かが足りない」

宿毛《すくも》沖は荒天にみまわれているのか。丘の上から見る水平線のあたりは鼠《ねずみ》色の雲と溶け合って、海と空との境界線がなくなっている。

風が強くなってきたので、開け放っていた窓を閉めた。宿毛砦の軍団長室には黒いミリタリーウェア姿の直江信綱の姿があった。

「何かが足りない？　〈国崩《くにくず》し〉以外にも何かまだ必要なものが？」

「……いや。装備の話じゃない」

高耶は椅子《いす》に腰掛け、腕組みしたまま考え込んでしまう。

「何かもっと……士気に訴えかけるような」

正念場とも言える窪川の激戦で、辛《から》くも伊達《だて》に打ち勝った赤鯨衆は、いよいよ本格的な巻き返しをはかるため、態勢を整えつつあった。武藤潮《むとううしお》を安芸国虎《あきのくにとら》として正式に迎え入れ、中村城《なかむらじょう》での軍議を経《へ》て、赤鯨衆の大反撃作戦は土台を固めつつあるところだ。中村城での軍議のため、高耶も四万十から駆けつけていた。

軍議を済ませ、宿毛へとやってきた高耶たちである。つかのまの休息の間も、高耶はどうやらいろいろ考えていたらしい。

「宇和島《うわじま》攻めには完全武装で臨《のぞ》みたい。だけどどんなに戦力を調《ととの》えても、赤鯨衆の戦場にはいつも何か肝心《かんじん》のものが足りてない気がするんだ」

言われてみれば……。

直江もそんな感じを抱いていた。その「物足りなさ」を直江は「雑兵集団にありがちな不完全な組織からくる素人臭《しろうとくさ》さ」のようなものと勝手に解釈していたのだが……。

「なんだろう。赤鯨衆の戦闘に携《たずさ》わる間ずっと感じてた。画竜点睛《がりょうてんせい》を欠くというか――」

旗。

と直江がポツリと言った。

「もしかして、旗がないということでは」

「旗？」

「ええ。思い出してみてください。例えば戦国時代。戦場を駆ける私たちのもとには必ず『毘《び》』の旗があったはずです」

上杉《うえすぎ》のシンボルとも言うべき旗だ。謙信《けんしん》は、上杉の軍を、神仏が世の秩序《ちつじょ》を守るため遣《つか》わせた正義の軍だとみなしていた。謙信がもとより信仰篤《あつ》かった毘沙門天《びしゃもんてん》の「毘」の一文字を旗印としたのである。上杉軍団のあるところ、必ず「毘」の旗がひるがえっていた。

ふと懐《なつ》かしいその光景を思い出して、高耶は胸を熱くしたが、それは同時に、今となっては痛みを呼び起こす記憶でもあった。そんな心中を察しつつ直江は言葉を重ね、

「旗をあおぐとき、私は上杉のもののふであることを誇りに思いました。どれだけ士気高揚につながったかわかりません。もしかしたら、赤鯨衆に必要なのも、そういうものなのではないでしょうか」

「赤鯨衆の旗、か……」

高耶は腕を組みながら、雨に濡《ぬ》れだした暗い窓のほうを見やった。

＊

「赤鯨衆の旗印、ですか……」

医務室を訪れた高耶は、心霊医師の中川掃部《なかがわかもん》にさっそくその話をふってみた。

「……そうですねえ。旗印をつくろうという話は何度か出たことがあるにはあるんですが、草間《くさ ま》さんがなにぶんにも長宗我部《ちょうそかべ》信奉者《しんぽうしゃ》だったでしょう？　旗もなにも、主家《しゅけ》再興の折は長宗我部家の旗印を旗にすればエエちゅうて、赤鯨衆独自のものは特別つくろうとはせんかったがです。嘉田《かだ》さんは作りたがってたんですが、敵味方の判別用にはご存知の通り、かろうじて腕章《わんしょう》とか鉢巻《はちま》きとか無地の赤旗とかありますし——激戦続きでタイミングもあわず、いつもお流れって感じでしたね」

今あるものはあくまで実用目的のもので、味方の陣に堂々とひるがえすような、ましてや誇りやアイデンティティを呼び起こすようなそういう類《たぐ》いの代物《しろもの》ではなかったのである。

「なるほどな……」

診察用の丸椅子に座り込んで、高耶はまた腕組みをした。

「まあ、怨霊《おんりょう》同士の戦いに特別な目印は必要ないんだろうけど……」

霊の集団の戦いでは何も「目で見る」だけが敵味方の判別手段ではない。集団がまとう霊気は個々にも及ぶ。その「まとう霊気」を各々《おのおの》が感知することで瞬時に敵味方を「判別」するのだ。赤鯨衆が特別旗印をつくらなかったのも、とりたてて必要がなかった。……そういう理由だろう。

だが旗の効用とは、敵味方の判別だけではないことを、高耶は身をもって知っている。

「……あとで嶺次郎《れいじろう》にも相談しようと思ってるんだが――」

と高耶は顎《あご》に手をあてながら、

「宇和島攻めまでに、赤鯨衆の旗をつくっておきたいと思うんだ」

「旗ですか」

「ああ。大きな大きな旗を、本陣に翻《ひるがえ》したい。ただの旗じゃ駄目《だめ》だ。皆が心を寄せることができるシンボルになるような旗印を作るんだ。どうだろう」

いいですね！　と中川は即反応を返してきた。

「そりゃあエエ考えです！　きっとみんな、喜ぶと思います。こりゃあ盛り上がりますよ！　私は大賛成です！」

その案を午後の幹部会で持ちかけてみたら、真っ先に飛びついてきたのは、安芸国虎こと武藤潮であった。途端に潮は興奮しまくって、

「やっぱシンボルマークづくりったら公募《こうぼ》だろ、公募！　全部の隊士から、旗印になる図案を募集すんだよ！　そん中から俺たちが選ぶってのはどうだ？」

すると水を差すように、向かいの席に座る兵頭隼人《ひょうどうはやと》がため息をつき、

「このクソ忙しい時にそがいな暇があるか」

「ンだと？　じゃおまえは旗なんか必要ねーってゆーのかよ」

「旗を掲《かか》げるのは悪くない。しかしこの猫の手も借りたいほどの激務のさなかに、そがいなことで時間は割《さ》けん。そうでなくとも四万十は間者《かんじゃ》探しで皆、ピリピリしちょる」

潮はウッと詰まってしまった。

そうなのである。

四万十苦戦の原因のひとつには、伊達方への情報漏《も》れがあるのではないかとの疑いが当初よりあった。大反撃戦を前に、現在赤鯨衆に潜入していると思われるスパイの一斉《いっせい》あぶり出しを行おうと、諜報班総動員でチェック強化中なのである。

「そがいなことより、間者の一掃《いっそう》が先だと思うがな」

「そ、そがいなことって何だよッ大事なことだぞ！　旗ってヤツはな、見上げるだけで、こう、胸がぎゅーって熱くなんだよ。ああ、俺たちの旗だって思って、この旗のもとに戦おうって思うわけだろ！　世界に向かって、俺たちはここにいるって宣言するためのもんなんだよ！」

「目に見えるものは必要だと思う」

と潮を援護するように口を開いたのは、宿毛砦《とりでちょう》長の橘義明《たちばなよしあき》こと直江信綱だった。

「今の赤鯨衆には、枠《わく》を越えて様々な者が集まってきている。心をひとつにするためには、赤

鯨衆の掲《かか》げる理念を目に見える形にすることが重要だ。それに気持ちをまとめるというのは、大事な戦《いくさ》準備のひとつだと思うが？」

兵頭がムッとしたように直江を睨み付けた。

「旗も武器のひとつ、か――」

とそれまで黙って聞いていた嘉田嶺次郎がニヤリと笑って口を開いた。

「よし。なら、旗印づくりは武藤――いや国虎。おまえに任せる」

「お、おれが⁉ いいのかよ！」

「来《きた》るべき宇和島攻めまでに赤鯨衆の正規の旗をつくる。旗印案を一般公募しよう。皆も協力してやっとうせ。幹部は全員ひとり一点、図案を提出すること。自分で考えたものでも部下から出させたものでもええ。これでええか」

幹部全員が「はあ？」という顔になってしまった。

「生地のほうは雑務方に取り寄せさせる。提出期限は五日後じゃ。候補をしぼって合議の上、最終的に旗印を選定しよう。これでええな」

＊

さて、困ったことになってしまった。

宿題を出された幹部たちは（この「クソ忙しい時」に）それぞれ赤鯨衆の旗印を考えださねばならなくなってしまった。

「仰木《おうぎ》、おまえはどうすんだよ」

その夜のこと。二十四時間営業中の食堂では、夜食のラーメンをすする潮が、向かいの席でようやく夕食にありついた高耶に問いかけていた。

「うちは何だか卯太郎《うたろう》たちが張り切ってるから、任せてる」

「仰木隊長自ら図案を出すんじゃないんですか」

高耶の隣には直江がいる。打ち合わせをしながら、眠気覚ましの珈琲《コーヒー》を飲み干したところだった。

「描《か》けよ、仰木！　おまえが描くんなら絶対一発採用だって！　なんたって、あの仰木高耶デザイン…なんて、も、レアすぎて、みんな涙流して喜ぶさー」

「描かねーよ……」

「いっそ商売しようぜ！　オリジナルTシャツとかさ、時計とかさージッポとかさー、エアマックス仰木隊長限定モデルとか！」

高耶は呆《あき》れてしまった。どうも潮はクリエイティブな方面を任されると、戦《いくさ》よりも血が騒ぐタイプらしい。

「仰木隊長は美術の成績、2だったんですよね」

「な！　なお…ッ橘、おまえいきなり何言って…ッ！」

「うそマジ？　仰木、美術2だったの！」

「馬鹿、大きな声出すな！」

「へぇ、意外！　なんでも万能だと思いきや、おまえけっこー美術音痴《おんち》？」

「違うッ出席日数が少なかっただけだ！」

食堂中にいた隊士たちが、びっくりして注目してくる。あの泣く子も黙る仰木高耶があたふた弁解している。

「大体なんで、おまえが知ってるんだ」

「いえ。前に何かで小耳に挟んだような。当たってましたか」

高耶は口をとんがらせて不機嫌になってしまう。絵は昔から苦手なのだ。

「そういうおまえはどうするんだ。誰かに描かせるのか」

「……そうですね。困りました。あいにく全員それどころではありません」

水軍の出港地となる宿毛《すくも》は、戦支度で全員大げさではなく寝る時間もないほどの多忙を極めていた。直江自身、はっきり言って悠長《ゆうちょう》に旗印など考えている暇はない。高耶のことがある。裂命星《れつみょうせい》のこともある。どうにかして裂命星を手に入れようとしている直江は任務に従事しつつも常に、怠《おこた》りなく警備状況を探査して星関連の情報集めに余念がない。どうすれば星を奪取できるかで頭がいっぱいなのだ。直江が赤鯨衆に潜り込んできた目的はひとえに高耶と裂命星なのだから、実際のところ、旗なんぞどうでもいいのである。

そんな直江の心中を、高耶はお見通しらしい。しばし険しい目つきで睨《にら》んでいたが、

「実戦配備で、出港地の人員にかかる負荷《ふか》はぎりぎりだ。無理強《むりじ》いして集中力を欠かせてはそれこそ意味がない。これはと思う者がいなければ橘、おまえが描け」

これまた意地悪な注文が来た。

「私がですか」

「赤鯨衆の理念を目に見える形にする。そのための旗なんだろ。オレは大海を行く鯨《くじら》のイメージがいいと思う。おまえも赤鯨衆の一員なら真剣に考えろ」

と突き放すように言うと、箸《はし》を置き、高耶は食べ終わった皿を律儀《りちぎ》に重ねて食器返却口へと持っていく。追いすがるように直江も慌てて席を立った。そんな二人を見ながら潮は頬杖《ほおづえ》をついて一言、

「あのふたり、やっぱり何かあるよな……」

と大きくため息をついてしまった。

「高耶さん……！」

人気《ひとけ》のない三階の幹部室前の廊下《ろうか》で、ようやく直江が高耶に追いついた。

「少し、調子に乗りすぎました。謝ります」

「そんなことじゃない」

高耶は両腕で自分を抱くようにして押し黙ってしまう。腕組みとは違う、この仕草を彼がとるのは、心の深いところに関《かか》わる何かを、嚙《か》みしめたり隠そうとしたり温めたりしているときだということを、直江は知っている。

少し肩から力を抜いて、直江は高耶の気持ちを待った。高耶はひとつため息をつき、

「旗を作るの作らないの、アレコレ意見する資格なんてそもそもオレ達にあるんだろうか」

気が重いような口調だった。

「まだ隊士の全部がオレたちの本当の姿を知ってるわけじゃない。おまえのことも、知ってるのは嶺次郎《れいじろう》たちだけだ。騙《だま》すつもりはないが、やっぱり……心苦しいな」

「高耶さん……」

正体が皆に知られれば、それが追放の日になるかもしれないことも、薄々予感しているようだった。確かに、上杉景虎《かげとら》であることを明かせば、彼らと育《はぐく》んできた信頼関係は根底から崩れてしまうかもしれない。

だからその前に高耶は赤鯨衆にすべてを揃《そろ》えてやりたいのかもしれない、と直江は思った。自分が弾《はじ》かれる前に。自分がいなくなっても、彼らがちゃんと戦っていけるように。高耶は赤鯨衆と欺瞞《ぎまん》を抱えたまま向き合っていられる人間ではないのだ。

「……………。過去がどうあれ、赤鯨衆をここまで引っ張り上げたのはあなたです」

「おまえは赤鯨衆に共感なんかしてないんだろう？」

看破《かんぱ》された心臓が、小さく跳《は》ねた。

「オレがいなければ全員調伏《ちょうぶく》してたくせに」

「……確かに共感とは違うかもしれません。でも或《あ》る意味、私はあなたよりもずっと彼らと心が近いのかもしれません」

「どういうことだ」

「惨《みじ》めな自分というものは、私には馴染《なじ》み深い感情です。自分の駄目《だめ》さに絶望もできず自嘲《じちょう》をモルヒネにしてきた私にとって、赤鯨衆は、傷を舐《な》め合うには最高の連中です」

「傷舐め合う気なんてサラサラないくせに」

ふと階段のほうに人の気配を感じて、ふたりはギクリと振り返った。階段口に砦《とりで》の若い隊士がいて、こちらをジッと見つめる。

(聞かれた？)

その隊士はいやに無機質な目でこちらを見ていたが、軽く会釈《えしゃく》すると、さっさと引き返していってしまった。

「今のは、この砦の？」

「私の部下です。鷹《たか》の巣《す》砦奪還《だっかん》にも参加していました。叶《かなえ》という名の」

と言って直江が小さく「あ」と声を発した。思い出したことがあったのである。

「直江？」

と高耶が声をかけるより先に、直江は叶を追いかけて行ってしまった。

「待ってくれ。叶」

直江に呼び止められ、叶という名の青年は二階の倉庫の前で振り返った。

「なんですか。砦長《とりでちょう》」

「君はいつだったか、庭で絵を描いていたことがあったな」

叶はエラの張った頬のあたりを軽く強《こわ》ばらせた。直江は真顔になり、

「君に頼みたいことがある」

＊

嫌です。

叶にはすげなく断られた。旗印の図案のデザインを、である。いつか砦の庭で覗《のぞ》き見た「らくがき」の腕を買って、直江は彼に依頼しようとしたのだが——。

叶は断固として拒《こば》んだ。

「僕は絵など描けません。任務が忙しくてそんな時間もとれません。他の人に頼んでください」

無理強いはするな、と高耶には言われたが、沈丁花《じんちょうげ》の「らくがき」にはちょっと非凡なものを感じた直江である。あれだけ描ける腕の持ち主が、頑《かたく》なに固辞《こじ》するのはなんだか不自然に思われた。

「どうしてだ。絵を描くのが好きなんだと思ったが？」

「好きなんかじゃありません。昔、食うために仕方なく描いてただけです。金稼《かねかせ》ぎの手段です。工場で機械を動かすのと同じです。死んでまで絵なんか描きたくありません」

「じゃあ、この間のあれは？」

「強迫観念なんです。昔の。描かなきゃ生活していけなかった時の。それに」

と叶は吐き捨てるような調子になって、

「俺みたいな贋作師《がんさくし》が描いた旗なんて、負けの白旗みたいなもんです。不吉なだけっすよ」

と言うと叶はまた逃げるように去ってしまった。あてが外れてため息をつく直江の背後から、その様子を見守っていたのは高耶だった。

「聞いてたんですか」

「ああ。あいつが叶か。絵描きだったんだな」

「知ってたんですか」

「堂森《どうもり》が面倒を見た新入りとかで、偵察《ていさつ》で手柄《てがら》を立てたらしい。敵の偽装《ぎそう》部隊を見破ったんだ。大した観察力だったとか。絵描きの観察力だったんだな」

「なかなかいい絵を描きますよ。花の写生をしていたところに鉢合《はちあ》わせて間者《かんじゃ》と間違えたんですが。凡人《ぼんじん》の感覚ではちょっと真似《まね》できない筆の運び方でした」

「金稼ぎで描いてたって言ってたな」

贋作師と言っていた。昔からそういう商売があることは高耶たちも知っている。著名な絵師や画家の作品を模写して金にしている輩《やから》のことだ。本物は高価すぎて手が出ない、稀少《きしょう》すぎて手に入れられない、そういう者に廉価《れんか》で模写画を頒布《はんぷ》したり、手法を似せた作品に大家の雅号《がごう》を入れたりして売りさばく。中には悪徳美術商の依頼に応じて指名された作品の贋作を生み出すこともあるという。

若い絵師や画家が習練のために模写したものを売る場合もあるが、プロと呼ばれる贋作師は専門家をも騙《だま》しきらねばならない。あらゆる絵師の手をモノにしなければならず、相当の腕を要するらしい。

「勿体《もったい》ないな。せっかく描ける奴《やつ》なのに」

もう一度説得してみる、と叶を追おうとした高耶を直江が止めた。

「やめたほうがいい。彼はどうもあなたに反感を持っているようなんです」

振り返った高耶は怪訝《けげん》そうな顔をした。

＊

「あーもーなんなんだよー！　赤鯨衆にはまともな美的感覚の持ち主いねーのかよ！」

数日後。武藤潮は集まってきた旗印案を前に頭を抱えてしまっていた。どれもこれもろくに旗印にはなりそうもないのである。

「なんだよ、これ。どっかのフェリーのパクリかよ。こっちは、おいおい、なんで鯨《くじら》に背鰭《せびれ》がついてんだよ、ほ乳類だろ！」

「武藤さーん！　持ってきました！」

と勇んでやってきたのは卯太郎だ。差し出した画用紙には、とてもシンプルでえらく可愛《かわい》らしいひょうたん島のような鯨が波間にプカプカ浮いている。

「あ……これ、とってもかわいいんだけど、旗にはちょっと……」

そこへ今度はいきなりノックもなしにドアが開いて、兵頭隼人が入ってきた。兵頭は無言で封筒を机におくと、何も言わずに出ていこうとしたので、

「おい！　これ」

「部下の手を止めるのは忍びないので、自分で描《か》いた。使えるようだったら使え」

と言い置いてさっさと出ていってしまう。封筒から取り出してみて、潮は「うおっ」と声をあげた。

「す、すげー……」

出てきたのは滅茶苦茶《めちゃくちゃ》「写実的」な鯨の図だったのだ。

「さすが捕鯨《ほげい》の室戸《むろと》というか……」

リアルすぎて旗印にはちょっと使えそうにない。……結局五十枚ほど集まったが「これは！」というものにはとうとう出合えず、プロデューサー潮は苛立《いらだ》ちまくっている。

「だからこーじゃねーのよ！　もっとガーッて勢いがあって、鯨がグホーッて叫んでるような、今にも滝登り（？）しそうな……！」

「だったら、武藤さんが描けばいいじゃないですか」

「俺は写真の才能はあるが、絵は描けない」

「どがいしたらええですかのう……」

潮は集まったボツ絵の上にばったりと突《つ》っ伏《ぷ》して、大きくため息をついてしまった。

「どっかに絵描きはいねーかな」

旗印作りは早くも暗礁《あんしょう》に乗り上げてしまった。


どうして描かないんだ？

裏の水洗場で玄関マットを洗っていた若者の背後から、問いかけてきたのは仰木《おうぎ》高耶《たかや》だった。振り返った若者は、高耶の姿に驚いたが、応答せず、すぐにまた黙々とデッキブラシを扱い始めてしまう。

「金を貰《もら》えないから描かない？　なら報酬があれば描くか」

動かしていたデッキブラシが止まった。叶誠一《かなえせいいち》は振り返った。

「生活苦で首くくった人間が、死んでまで生前思い出させるような真似《まね》はしたくないって言ってるんです」

高耶は壁にもたれて腕組みしたまま、目を細くした。

「贋作師《がんさくし》だったそうだな」

「ええ」

「叶雁舟《がんしゅう》」

尻《しり》に火箸《ひばし》でも押しつけられたような勢いで、ギョッと叶が振り返った。

「おまえの雅号だろ」

「なんでそれを」

「傀儡《くぐつ》の平四郎《へいしろう》から聞いた。日本画から油絵まで手広くやって天才贋作師とも呼ばれた。当時の業界の中じゃなかなか売れた名前だったそうじゃないか」

「……売れたといっても贋作師の間の話です。世間様に堂々名乗れる名じゃありません」

「雁舟は……含羞《がんしゅう》」

ホースを握っていた叶の手が止まるのを、高耶は見つめて、

「そんなところか？」

「……。とにかく旗は描きません」

「手本がないから描けないなら」

高耶は意地悪だ。

「誰かの描いた鯨でも持ってきてやろうか」

ホースの先から溢《あふ》れる水がじょぼじょぼと足下を濡《ぬ》らすのも忘れて、叶はじっとりと高耶を睨《にら》み付けてきた。

「勘違《かんちが》いしてるみたいだから言っときますけど、俺は別に贋作師であることに負い目なんぞ抱いちゃいませんよ。自分は看板屋の倅《せがれ》です。画家になろうなんて思ったこともないし、商売以外で描く気もない。画壇《がだん》とかゲイジツとかとは縁《えん》がないし興味もない。一介の看板屋がちょいと背伸びして贋作も請《う》け負《お》うようになっただけっすよ」

「なるほど。じゃあ赤鯨衆の看板をつくれって言えば、応じるのか」

叶は妙にサバサバした顔になり、

「いいっすよ。金さえ貰えれば、広重《ひろしげ》風でも歌麿《うたまろ》風でも描きますよ。その気になりゃあ北斎《ほくさい》風でも大観《たいかん》風でもゴッホ風でも」

「ヤケになんなよ。嘘《うそ》つき」

と高耶がサクリと言ったので、叶は急所を突かれたように一瞬体を強《こわ》ばらせた。

「他人の作品しか描かない奴《やつ》が、生きてる野の花なんか描こうとすっかよ」

突き放すように言い高耶は背を向けて歩き出した。叶はわなわなと震えていたが、いきなりデッキブラシを放り出して高耶の背中に怒鳴った。

「描いてもいいっすよ。金なんかいらない。だけどひとつだけ条件がある」

「なんだ？」

「土下座《どげざ》してくださいよ」

振り返った高耶は思わず目を剝《む》いてしまった。叶は目元をゆがめて奇妙に笑い、

「あんたの土下座が見れれば、旗印の件、考えてもいいですよ」

無言で高耶は叶を睨み据《す》えていたが、

「してやってもいいが、それで惨《みじ》めになるのはおまえのほうだぞ」

叶は何も答えない。ただその表情がわずかに歪《ゆが》んで、目の奥に暗い光が宿った。

＊

そんな男、相手にしないほうがいい。

と直江は忠告した。

「ひねくれているだけです。誰かに自分の歪みをぶつけて受け止められたいだけだ。甘えているんです」

高耶はあれから、どうも叶という男が気にかかっているらしい。仲間内での評判は悪くはない。控えめだが実直で信頼もされているらしい。そういう男が高耶にだけあんな棘《とげ》のある態度をとるのは、奇妙でもあった。高耶が気になるのは叶という男がまとう、どこか屈折した空気のようだ。

「贋作師という職人であるだけだと思うなら、あんなひねくれた言い方はしないだろうに」

負けの白旗になると言っていた。負い目はない、とは言っていたが卑屈《ひくつ》な自覚が潜んでいるのは確かであるようだ。

「赤鯨衆にはいろんな奴がいるが……。……あいつは何を呪《のろ》ってこの世に残ってしまったんだろう」

遠くを見つめる高耶の表情を見て、直江が不快げに眉《まゆ》をひそめる。不意に高耶の手からファイルを取り上げると、腕の間に囲うように机へと追いつめた。

「直江」

「そんな不愉快《ふゆかい》な男のことなど気にかける必要はありません。あなたの土下座が見たい、だなんて身の程知らずもいいところだ」

「オレを跪《ひざまず》かすのは、おまえだけの特権か？」

「ええ。そうです」

というと机のへりにかけた高耶の手首を掴み、

「私はそういう衝動と四百年もつきあい続けてきた男です。あなたを組み伏すのも跪かせるのも、私にしか許されちゃいないんです」

「おまえの歪みもたいがいだな」

「他の誰かが口にするだけでもおこがましいと言ってるんです」

「誰もそこまでは言ってないと思うけど？」

「隊長！」

　ノックもなしにいきなりドアが開いて、部下の早田《さつた》が飛び込んできた。驚くほど素早い身のこなしで直江の腕から逃れた高耶は何事もなかったかのようなポーカーフェイスで、

「入る時はノックしろと言っただろう。どうした」

「す、すみません……ッ。例の間諜《かんちょう》の正体が今夜摑《つか》めそうなんです」

「なに」

　赤鯨衆から情報を漏《も》らしているらしい例のスパイのことだ。高耶たちもその存在にはずいぶん手を焼いていた。情報漏れで輸送隊を襲われたことは二度や三度ではなかったのだ。この厄《やっ》介《かい》な潜入者の洗い出しは急務だったが、すでに諜報班《ちょうほうはん》では人物の目星がついているらしい。

「今夜、その間諜が伊達《だて》方の使者と接触するちゅう情報を摑んだそうです。現場を押さえて捕《ほ》縛《ばく》すると」

　よし、よくやった。と言って高耶は椅子《いす》にかけていた上着を摑んだ。

「オレも同行する。真木はどこだ」

あわただしく袖《そで》に腕を通しながら、高耶はバイクのキーを握った。

*

月のない夜だ。

竜串《たつくし》海岸の白い奇岩の岩肌を、波が洗っていく。海沿いの遊歩道をしばらく行くと、海の中にやけに太った十字架《じゅうじか》が建っている。沖へ突き出すように架《か》かった橋の先にある、赤と白の十字の塔は、足摺海底館《あしずりかいていかん》と言って、海に隠れた塔の下部から海中の様子が覗《のぞ》けるようになっており、竜串を訪れる観光客の立ち寄りどころとなっていた。むろんこの時間はとっくに閉館していて、あたりに人の姿はない。

今夜、ここで伊達方の使者と、赤鯨衆に潜り込んだスパイが接触するという。情報をつかんだのは真木たちのお手柄《てがら》だった。赤鯨衆の戦力情報を伊達方に流している、問題の男の正体を今日こそ摑むのだ。高耶たちは一足先に竜串に到着していた。ここからは受け渡し場に指定された海底館が見下ろせる。低い崖《がけ》の上の木陰《こかげ》に高耶たちは身を潜めていた。

「あいつか。伊達方の使者は」

海底館に架かる橋の上にやってきたのは、地元の漁師風の格好をした男だ。こちらの気配には気づいていないようだが、待ち合わせ時間を過ぎて落ち着かない様子だ。

「ここひと月ばかり、足摺周辺を嗅《か》ぎ回ってました。先にやってしまいますか」

「いや。受け渡し現場を押さえてからだ」

来た、と堂森《どうもり》が小さく声を発した。駐車場のほうから、人影がやってくる。海底館も閉まったこんな時間だ。散歩で来るようなところでもない。

人影は黒っぽい作業服の上下を着ていた。背を丸めて歩いてきて、海底館に至る橋に近づいてきた。音を立てずに真木らが念短銃のトリガーを外した。高耶と堂森は木陰からふたりの様子を凝視《ぎょうし》する。

作業服の男は二言三言、会話を交わして、抱えていた紙袋を伊達の使者に渡した。

（いまだ……！）

合図と共に照明がたかれた。同時に高耶たちが崖をすべりおり、海底館側からも隠れていた隊士数人が躍《おど》り出て、伊達方のスパイ二人を取り囲んだ。

「動くな！」

囲まれた！　と彼らが気づいた時には、すでに強いライトが舞台のごとく橋を照らし、崖側の林からは数人の狙撃手《そげきしゅ》が二人に狙《ねら》いを定めている。

「そこまでだ！　おとなしく武器を捨てて手を挙げ……！」

だが高耶の勧告は無視された。伊達方の使者がいきなり懐《ふところ》から催涙弾《さいるいだん》を炸裂《さくれつ》させ、あたりじゆうが煙に包まれてしまったのである。こちらが怯《ひる》んだ隙《すき》に、敵はたちまち憑依《ひょうい》を解いて霊体のみで逃げようとしたが、みすみす見逃す高耶たちではない。

「早田！」

用意されていた捕縛用の金剛網《こんごうもう》が崖の上から打ち放たれた。あっという間に伊達のスパイは捕《と》らえられてしまった。

「おい、もうひとり逃げたぞ！」

煙幕に紛れて、潜入者の男が逃げ出した。煙にまかれて狙撃ができないとわかると、途端に早田たちが走り出した。高耶もインカムに向かい、

「そっちに逃げた！　道を塞《ふさ》げ！」

遊歩道の入り口に立ちはだかるように、幌付《ほろつ》きの小型トラックが滑り込んできた。荷台から飛び降りてきたのは直江たちだった。

「手をあげ……おまえは！」

その顔を見て直江は「まさか」と息をのんだ。念短銃の銃口を向けるより早く、早田たちが念を撃ち込んでいた。もんどりうって倒れた間者《かんじゃ》を、早田たちが素早く捕縛する。あとから追いついた高耶は、間者の正体を見て、絶句した。

「馬鹿な……ッ」

捕縛された男は――。

あの叶だったのである。

＊

尋問《じんもん》は延々と行われた。

竜串で捕まった叶は、伊達方の使者とともに足摺アジトまで連行され、地下監禁室に閉じこめられて、嶺次郎自らが厳しい尋問にあたった。

「嘉田さんの尋問は赤鯨衆一厳しいですきのう……」

容赦《ようしゃ》なく追いつめていくので、尋問自体が精神的拷問《ごうもん》のようなものだという。

高耶も直江も、よりによってあの叶がスパイだったことに驚きを隠せない。仲間の間では信頼あつかった男だっただけに、四万十《しまんと》の隊士たちは動揺した。

「目立ちはせんかったが、仲間にも、ようとけ込んじょった。真面目な男じゃった」

食堂には幹部たちが集まっていた。叶は偵察任務で手柄を立てたこともあり、伊達方の潜入者だとは俄《にわか》に信じられなかったのだ。

「魔がさしたとしか思えん……」

と目をかけていた堂森は頭を抱えてしまっている。どこかで伊達に買収でもされたのか。それとも初めから伊達方が放った間諜《かんちょう》だったのか。

直江はチラリと横目に高耶を見た。高耶は考え込んでいる。腕組みしたまま壁にもたれて、黙り込んでいる。

「どちらにしても、敵と通じた者は赤鯨衆では極刑《きょっけい》じゃ。消えて貰《もら》うほかなさそうじゃの」

兵頭の感情をこめない言い方がやけに冷酷に聞こえた。もっとも、尋問の最中に、耐えきれず自決する者も多いのである。

高耶が目を上げた。

「仰木隊長」

食堂を出て行こうとした高耶に、直江が声をかけた。高耶は立ち止まり、肩越しに、

「叶に会ってくる」

といって出ていってしまった。直江は難しい表情になって口をつぐんでしまう。あとには重苦しい沈黙が残るばかりだった。

＊

冷たいコンクリートの階段を下りていくと、やがて波の音が聞こえてくる。

聞き覚えのある響きだった。ひんやりとした深い湖に降りていくような空気が、高耶に痛い記憶をよみがえらせる。

鉄格子《てつごうし》の向こうに、叶は膝《ひざ》を抱えてうずくまっていた。

高耶は扉のそばにたたずんで、そんな叶を見つめている。いつかの自分を見るようだ。自分もここに繋《つな》がれていたことがあった。冷たい牢獄《ろうごく》だ。高耶は鉄錆《てつさ》びたにおいのする鉄格子をそっと摑《つか》んだ。

「……旗は描《か》けないと言ったのは、そういう意味だったのか？」

高耶の問いかけに、叶が朦朧《もうろう》と顔を上げた。疲れ果てた労働者のように、顔は青白く、憔悴《しょうすい》して頰《ほお》がこけていた。

「敵のスパイが旗印かくわけにいかんでしょう……」

「オレたちを騙《だま》したのか」

「……………」

叶の口元に微笑がのぼった。

「窪川《くぼかわ》で、……あんたの演説聞いたんですよ……」

演説なんて立派なものではない。窪川の激戦を前に、隊士らに発破《はっぱ》をかけるため、高耶が壇《だん》上《じょう》で言い放ったあの言葉を叶も聞いていたらしい。

「ああ、生きてるんだなぁ。この人は、生きてしまってるんだなあって思いました」

「叶……」

「あんたがまだ死んでない人間だからなのかなあ……。そういうことでもないような気がする。あがいてるなあ、生きてるなあって思ったら、無性に憎たらしくなって……」

高耶の背後の壁の小さな窓から、夕日が射《さ》し込んでいる。鉄格子の影が叶のちょうど右目のあたりにかかった。

「そしたら……無性にあんたのこと、絵に描きたくなっちまった……」

高耶は驚いた。憎たらしいものを描きたいという心理が高耶にはよくわからなかった。

「ちくしょう……」

誰かの絵を見て描く絵ではなく。

本物の、生きているものを見て描く絵を。

ぼろぼろの叶は苦々しく微笑した。認めたくなかったものを見せられた悔《くや》しさだったらしい。

「他人の絵に似せれば似せるほど、俺の絵は高く売れた。他人の手に似てることが俺の値打ちで物差しだったんですよ」

自分の情動で絵を描くことなど、一銭《いっせん》の値打ちにもならない。自分を消し去り尽くすことが叶にとって「正しい道」「目指すべき道」だったのに。

「あんたら見てると、値打ちのないもんを追いかけたくなっちまう……」

「どうしてこの世に残ったんだ」

高耶は夕陽の光のように問いかけた。

「この世に残って他人の体奪って憑依《ひょうい》までして、……スパイになんかなって。おまえ、本当は何かやりたいことがあったんじゃないのか」

「……。金が必要だった」

高耶は目を剝《む》いた。金銭《カネ》？

怨霊《おんりょう》同士の戦いで？

「絵を買い戻したいんです」

「絵？」

誰の、と問いかけると、叶は少し口をつぐんで、

「自分のです」

と答えた。

「宇和島《うわじま》にあるんです。俺が贋作師《がんさくし》ではなく、ひとりの絵師として、一世一代かけて描いた絵が宇和島に」

「おまえの絵？」

「だけど、その絵に私の雅号《がごう》は入っていません。入っているのは」

叶は呪《のろ》わしげに宙をにらみ、

「俺がかつて贋作を描いた、ある大家《たいか》の名前です」

高耶は驚いて凝視《ぎょうし》した。

「どういうことだ」

「……」

「とられたのか」

「………」

「まさか、自分の描いた絵を別の画家にとられたのか」

「買われたんです」

果てしない後悔を目に浮かべ、叶は顔を伏せた。

「俺が一生働いても作れないほどの大金で、買われたんでさ。うちは貧しい家に病気の娘を抱えていた。借金の返済と娘の医者代にあてるために、俺は初めて描いた自分の絵を売ったんです。あの男の作品となることを承知で」

高耶は息をのんだ。画壇《がだん》の大家だった。年老いて衰《おとろ》えた画家の名声を保つために、その男は叶という贋作師の絵を「買い取った」。己の作品として発表するために。

その作品は発表された途端、晩年の傑作《けっさく》と絶賛された。これまでの画風を継承《けいしょう》しつつ一つ上の次元へと突き抜けた。限界を突き破って、遙《はる》かに高い到達点に達した。老年にして見事な開花を遂《と》げた画家は世間中から大賞賛《だいしょうさん》を浴びたのだ。

だがその絵を描いた本当の人物は、老年の大家などではない。この叶だった。

叶はかの画家の作品の贋作を売るために、さんざん模写して手法も画法も完璧《かんぺき》に修得していた。叶自身、彼の絵が好きだったのだ。商売のつもりが影響された。尊敬する画家だった。

「……俺の絵があいつに認められた時は天にものぼる気持ちだった。日陰者の仕事が認められるなんて望外だった。だけどあいつは取引を持ちかけてきたんだ。金と引き替えに、我《わ》が作品とさせてくれ、と」

叶は拒《こば》んだ。すると今度はかつてその画家の贋作を描いて売っていたことをネタに強請《ゆす》られた。画家は言った。「無名のおまえがたった一枚描いて残したところで、いくらもしないうちにゴミとなって捨てられるのがオチだろう。あたかも使い捨ての看板のように」「だが私の名を刻めば、それだけで絵は残る。美術館の抜群の保管環境で末代《まつだい》まで国の宝として残されることだろう」。

揺《ゆ》れましたよ……。

とぽつり呟《つぶや》いた。叶の心は激しく揺れた。

「そうでなくたって、うちは明日の生活にも事欠くほどの貧しさだった。目の前の暮らしを食いつなぐことで精一杯だったんだ」

病の娘の治療費が必要だった。毎日のように取り立てに来る借金とりに金を返さねばならなかった。そんな叶の目の前に大金が積まれていたのだ。

絵は残る。

その一言が、叶の気持ちを折れさせた。

「今、その絵はあいつの晩年の傑作と呼ばれて宇和島の個人美術館にある……。絵が残されれば俺の名前なんかいいと、その時は思った。作品だけが残れば満足《けず》だった。だけど違うんだ。あれは俺の絵なんだ。この手に取り戻したいんだ。あの雅号を削って、叶雁舟の名を刻みたかったんだ！」

高耶は腕組みする手に力をこめた。叶は声を振り絞《しぼ》り、

「だから金がいるんだ。買い戻す金が！」

高耶は「痛い」という顔をした。

（とりつかれてる……）

この男は一番大事なものをいまだ金で取り返そうとしている……。

自分の魂《たましい》を金で売って、なお金を必要だと思いこむ叶が、高耶には哀《あわ》れだった。

「伊達が……金を出してくれると？」

「絵を取り戻すために便宜《べんぎ》を図ってくれると言われた。だからその分、働けと」

だがそれももう終わりだ。

こうして赤鯨衆に正体がばれた以上。

伊達はこの間諜《かんちょう》を切り捨てるだろう。

「馬鹿だ……」

と高耶は呟いた。

「おまえは馬鹿だ。自分が本物と名乗り出るために絵を取り返したいんだろう。そのための手段がどうしてまた、人を偽《いつわ》ることになるんだ。騙すことから解放されたかったんだろう。本物になりたかったんだろう？」

「……」

叶は目をつぶって黙り込んだ。

贋作人生の果て、たったひとつの真作を証明するために間諜になった、男……。

「仰木さん。俺は……贋作師であることに、負い目なんか本当になかったんです」

「叶……」

「他人の作品の模写が好きでした。この色を出すためにはどうしたらいいんだろう、この人はなぜこんな構図をもってくるんだろう。画の手を追ううちに、俺はいつしかその画家の作業を追体験してるんです。何を考えていたのか。どういう思いがここにこの色をのせたのか、感じ取れた時は鳥肌《とりはだ》が立ちました。模写をしながら画家を感じていたんです。様々な画家や絵師の心の動きに、同調できる瞬間がなによりの醍醐味《だいごみ》だった。俺はその瞬間のために描いた。その瞬間が本当に幸福だったんです」

負け惜しみではありません。心から、たのしかった。

一介《いっかい》の看板屋が彼らと一体になれる瞬間が……。

「後悔はないんです……」

膝を抱える叶を高耶は見つめている。叶は膝に顔を埋《うず》めながら小声で語り続けた。

「ただ一生に一度、自分の絵を描こうと思ったきっかけは娘でした。病に冒《おか》され残りの命わずかな娘を絵に遺《のこ》そうと思った。俺は無心に娘を描いた。気がつけば飯も食わず夢中になって画《が》布《ふ》に向かった。娘が血を吐いても俺は色をのせ続けた。重体で運ばれても、絵の完成のために画布から離れなかった。そんな自分に気づいた時……俺は自分が空恐ろしくなった」

もてるだけの技量と精神力を無心に注ぎ込んで描いた絵は傑作となった。だが――。

「俺は自分の絵を描きだしたら、きっと人でなしになると、その時思ったですよ」

「叶……」

「絵を奴《やつ》に売った時、俺は娘を売ったような気がしたもんだ」

それでも治療費にあてられるならいいと自分を納得させた。しかし地獄はあとからやってきた。

二重の苦しみが叶を襲った。

愛娘を描いた絵が、他人の作品とされているのが耐《た》え難《がた》かった。いや、自分の絵に他人の名が刻まれていることへの生理的嫌悪が何よりも耐え難かった。

「俺は、娘を取り返したかったのか。それとも単に、俺の名があの絵に残らないことがたまらなかったのか。もし自分の名のためだとすれば……そんな自分が情けない！　娘の遺影がわりだと思ったから、俺は商売抜きの絵を描くことをも許したのに。絵への気持ちが、娘への気持ちを飲み込んでしまう！」

娘への愛情が突き動かすのではない。

「贋作なんかじゃない。俺の絵には本当は値打ちがあるんじゃないかなんて。俺の自由に描いた作品は当代のどんな画家より素晴らしいもんになるじゃないかって。そんな幻想《げんそう》追いかけたくなる自分が……！」

頭を抱えてしまう叶を、高耶は黙って見下ろしている。

「……おまえはずっと、追いかけたかったんだ。夢を」

叶は目を見開き、驚いたように高耶を見あげた。

「でもおまえは優しすぎる」

「仰木さん」

「優しすぎて、ゲイジツ家にはむかねえよ」

ふと叶は憑《つ》き物《もの》が落ちたような表情になって高耶を見た。

その一言で、叶は許された気がしたのだ。

高耶の真摯《しんし》なまなざしに、癒《いや》された。

「……。ありがとう」

と叶は言った。

「あんたは本物だね。仰木さん」

高耶は驚いて目を見開いた。叶は微笑を浮かべている。

「赤鯨衆の連中が好きだった。本当だ。ここに来て俺は、なんだろう。心から素直に絵が好きだったと思えた。本当の仲間になりたかった」

「今からだって遅くない」

「人を騙した人間は、どれほど真実を訴えたところで、一生信じてはもらえない」

公然とした敵《かたき》であったほうが、まだ信じられる。

偽るとは、信頼されることを放棄《ほうき》することなのだ。

「あれは俺の絵だと言っても、誰も信じてくれなかったように」

高耶はグッと目に力をこめた。

「叶……」

「最後にひとつだけ、頼み事してもいいですか。仰木隊長」

筆と墨《すみ》と紙を用意してもらえますか。

叶の最後の願いに、高耶は目を見開いた。

＊

叶は逝《い》った。

憑依《ひょうい》していた肉体と、一枚の絵を残して。

憑坐《よりまし》は叶が去ってほどなくして目を覚ました。

高耶の手の中には一枚の絵が残された。

鯨《くじら》の絵だ。

一本の筆で描かれた鯨だ。太陽を喰《く》らわんと勢いよく跳《は》ねあがる鯨。迷いのない描線《びょうせん》だった。かすれた墨が波飛沫《なみしぶき》のようだ。

その日宇和島の小さな美術館で小さな火災が起きたことを、高耶が知ったのは数日後のことだった。或《あ》る絵画が原因不明の失火によって焼失したというのである。幸い火事はぼや程度で済み、失われたのはその作品一点のみだった。だが出火元に火の気はなく、まったく不可思議な火災であったという。

燃えたその絵は、画家の晩年の傑作《けっさく》と呼ばれる「少女」という名の作品だった。

＊

――旗に使われなくてもいいんです。

――ただ最後にあんたたちを描《か》いてみたかった。

夕暮れに染まる足摺《あしずり》の海をベランダから見つめる高耶に、歩み寄った直江が告げた。

「叶が伊達に渡そうとしていた戦力情報ですが、どれも実際の数値よりもかなり下回っていました」

「なに」

振り返った高耶に直江は書類のコピーを手渡しながら、

「これが伊達に渡っていれば、逆に敵を油断させることができていたかもしれません。彼は赤鯨衆に有利な偽《にせ》情報を流そうとしていたようです」

海風が不意に切《せつ》なさを伴《ともな》って香ったような気がした。高耶は寡黙《かもく》になり、

「そうか……」

とだけ答える。沈み込んでいる高耶の横顔から心中を察し、

「………。可能性を否定してやることが救いになることもあります」

直江の言葉に高耶はふと肩を揺《ゆ》らした。

「可能性があると思うから未練が残る。できたんじゃないか、できるんじゃないか。夢を諦《あきら》めきれず苦しむ人間から、可能性を奪ってやるのも、ひとつの思いやりなのかもしれません。本人がそれを求めているならば」

「………。嫌な言葉だ。二度と言いたくない」

叶が欲しがっていたのは、夢を断つための言葉だと、わかっていても高耶はどこか悔《く》いてい

るようだった。

　ふさぎ込む高耶の背中を風にあおられたレースのカーテンが覆《おお》い隠した。直江はかすかに目を細めたが、慰《なぐさ》めはあえて口にせず、事務的な口調《くちょう》で報告を付け加えた。

「例の焼失した作品ですが……、焼け残りの部分から作者名とは違う別の名のサインが出てきたそうです」

　柵《さく》にもたれかかっていた高耶が肩越しに振り返った。

「たぶん炎の熱で表面の絵の具が溶けたか、化学反応で剝《は》げたかしたのでしょう。元々別人疑惑があった作品だったらしく、おかげで研究者たちが大騒ぎしているようです」

「叶の執念……か」

　高耶は夕焼けを照り返す波を遠く見つめて考え込んでしまう。直江はわずかに目を細め、

「他人に憑依して生きている今の自分も、贋作《がんさく》である。そう思ったから、彼は逝ったのではないでしょうか」

「……。でも魂《たましい》は贋物《にせもの》じゃない。どんな時も」

「高耶さん……」

「あれでよかったんだろうか」

　高耶は考え込んでいる。風に躍るレースのカーテンの向こうにある高耶の背中を、直江は見つめている。

「人の葬式を見るのが好きだったそうです」

ふと高耶が目を見開いた。

「……どんな理由があったのでしょうね」

生きてあがく高耶を見て「無性に憎たらしく思った」という叶。

もうあがくことのない者を――自らと同じ墓穴《はかあな》に入る者たちを、彼は歓迎したのかもしれない。同時に心のどこかで彼を慰め、安堵させたのだろうか。諦めを脅かさざる者たちが。

「……おまえも、直江。可能性を誰かに奪って欲しい、と思ったことがあるのか」

直江は黙り込んだ。次の瞬間高耶の体が後ろに傾《かし》いだ。風に揺れていたレースのカーテンごと、直江の腕が不意に高耶を抱きすくめたのである。

「私は奪われても奪われても、掘り出してしまう男です」

あなたの中から――。

高耶は天を仰《あお》いだ。

「描けよ、直江」

直江の腕に体を預けながら、高耶は目を閉じた。

「おまえの真実を、オレの中に描けよ」

その凶暴な筆で気が狂うほど。

白濁《はくだく》の絵の具で極彩色《ごくさいしき》のそれを。

「ぐちゃぐちゃになるまで描き上げろよ」

叶の遺《のこ》した絵は誰の目にも触れることなく、高耶の手元に置かれていたが、宇和島総攻撃が決まったその夜、初めて外に持ち出された。

赤鯨衆の旗が生まれた夜だった。

真紅《しんく》の大旗《たいき》に描かれたその鯨の絵は、まぎれもなく叶誠一《せいいち》が遺したものだった。以来、正式に赤鯨衆の旗印となった。

宇和島攻めに赴《おもむ》く赤鯨衆の旗艦《きかん》・室戸丸《むろとまる》にひるがえる大旗に隊士の誰もが目を奪われたという。見事な大旗だった。

今もその旗を見上げるたびに、高耶はあの贋作師を思い出す。

叶《かな》え。夢よ叶え。

ひるがえせよ、真紅の大旗。

さいごの雪

兵頭隼人《ひょうどうはやと》は苛立《いらだ》っていた。

四万十《しまんと》の隊士のルーズさにとにかく苛立っていた。

物資の搬入《はんにゅう》は遅れる、人は集まらない、頼んだ仕事は抜けている、果てには搬入管理の責任者が敵前逃亡したと聞いたときは、さすがの兵頭もほとんどキレる寸前だった。

(なんなのだ、こいつらは)

平時ならまだしも、この緊迫《きんぱく》した事態でこれか？　兵頭のつり上がった細眉《ほそまゆ》は先刻《せんこく》から神経質そうに震えている。室戸衆《むろとしゅう》ではあり得ない無駄の多さだ。クールな理性派もそろそろ我慢の限界らしい。度重《たびかさ》なるミスの連発に、いい加減うんざりしてきていたのが、元室戸の隊士たちにもわかるのだろう。

「兵頭さん、もうええですよ。室戸に帰りましょう」

と久富木《くぶき》が見かねて声をかけた。

「わしらと違うて奴等《やつら》は烏合《うごう》の衆に毛が生えたようなもんです。責任感ちゅうもんを知らんがですよ。そんな奴等に兵頭さんが煩《わずら》わされることはありません」

「だからと言って放り出すわけにはいかん」

仰木高耶《おうぎたかや》の補佐は嶺次郎《れいじろう》から引き受けた仕事だ。途中放棄はプライドが許さない。

問題は高耶のやり方だ。現状では、できない人間も使わねばならないのも仕方ないが、もっとできる人間に仕事を集中させたほうがいい。

「いっそ仰木を引きずり下ろして、兵頭さんが軍団長になってしまえば」

（そして片っ端から教育し直せ、か？）

そんなことをしている間にとっくに伊達《だて》に負けているだろう。だけど兵頭は愚痴《ぐち》に時間を費《つい》やすくらいなら、現状打開を進める男だ。高耶が提示した戦力配分表を睨《にら》み、赤ペンで書き込みながら、うまくもない珈琲《コーヒー》を机に置いた。

「兵頭さん、どこへ」

「仰木のもとへ行って来る。このプランではあまりにあぶなっかしい。掛け合ってくる」

と言うと無駄口もなく部屋を出ていってしまった。久富木も宮城《みやぎ》も顔を見合わせ「うちのかしらはホントに……」と肩を竦《すく》めた。

仰木高耶の部屋は静かだった。ノックをしても答えがない。鍵は開いている。ドアを開けた。

「失礼します。隊長、急いで打ち合わせたいことが」

とまで言って兵頭はふと足を止めた。

高耶は、いた。

夕陽の差し込む窓辺で、うたたねをしている。椅子の背もたれに体を預けて、たった今まで次の作戦のプランを練《ね》っていたのか、手にはたくさんの地図や書類が今にもこぼれおちそうになっていた。

兵頭は軽く息をつき、起こそうと思ってズカズカ入っていったのだが、声をかけようとして、ふと目線が高耶の寝顔に止まった。

思いがけないものを見た気がした。

(案外幼いのだな……)

いつもいつも眉間《みけん》に縦皺《たてじわ》を寄せているような表情しか見たことがない。確か二十歳だと聞いたが、目を閉じるだけでここまで印象が変わる人間も珍しい。

疲れているんだろう。昨日も嶺次郎たちと打ち合わせに明け暮れていた。ろくに睡眠時間もないはずだ。あれでは頭も回らない。

(後でミスるくらいなら今のうちに眠らせておいたほうが……)

と考えて、兵頭はとりあえず出直すことにした。と、そのときだ。眠る高耶の手から書類がこぼれて床に散らばった。そのままにしておくのも気が咎《とが》めたので、書類を拾ってやろうとわざわざ高耶の側《そば》に回り込んで、床に膝《ひざ》をついたときだった。

気配に気づいたのか、高耶が目を覚ました。小さく眉をしかめて、眠そうに首を巡《めぐ》らせた高耶は、瞼《まぶた》を開いていきなり、すぐ足元に跪《ひざまず》いていた兵頭と目があった。

思わず真顔で問いかけた。

「なにやってんだ」

兵頭も一瞬妙なカオになった。

「いえ」

なんで跪いているんだ？　と高耶は訊《き》きたかった。

兵頭は特にフォローするでもなく書類を拾い集めると、高耶の目の前に差し出した。

「落としましたよ」

「ああ。悪ィ」

「勝手に入室してすみません。砦攻《とりでぜ》めのプランに疑問点が生じたので」

「そうか。居眠りしてたみたいだな」

「なんでしたら出直します。一時間でも二時間でも休んでから、呼んでください」

「いや、いい。話を聞く。……いま何時だ？」

兵頭が腕時計を見て「五時です」と答えると「いけない」と言って高耶が立ち上がった。

「小太郎《こたろう》に食事やってなかった」

「あの黒豹《くろひょう》のことですか。餌《えさ》ならばきっと誰かが」

「あいつ、オレがやらないと食わないんだ。でも朝からやるの忘れてたから、もう兎《うさぎ》でも獲《と》りに行ったかな……」

話は外で聞く、と言って高耶は兵頭と部屋を出た。兵頭は小太郎の謎《なぞ》を問わない。窪川《くぼかわ》攻めの時に武藤潮《むとううしお》が連れてきて以来、あの黒豹はいつのまにか赤鯨衆《せきげいしゅう》公認の「飼い豹」になった。

誰かひとりくらい身元を怪《あや》しんでもいいのに、土佐《とさ》の男はそのあたりはおおらかにできているのか、「なんかわからんが仲間」の一言で終わってしまった。

「イラついてるみたいだな」

廃校になった木造校舎の廊下を歩きながら、高耶が心中を察して話しかけてきた。

「室戸の連中から見れば、四万十の連中なんてみんな隙《すき》だらけなんだろ。愚痴《ぐち》はないのか」

「愚痴なんて……。与えられた素材で最強を引き出すのが我々の仕事ですから」

「物わかりいいんだな。打破しようとは思わないのか？」

室戸のことならばともかく、四万十の隊士教育にまで口を出す気はない。と兵頭が答えると高耶はこんなことを言った。

「四万十の連中には隊士教育なんて必要ない。あいつらは自覚さえ生まれれば強くなる。でも赤鯨衆にいさえすれば、気持ちいいところへ連れてってくれるなんて思ってるうちは駄目だ。他力本願《たりきほんがん》なヤツはいつか組織の中で腐《くさ》ってく」

「……彼らは恐らく、我々とは違うがです」

高耶がふと足を止めて振り返った。

「我々室戸は努力した分が認められる。実力組織と割り切れば、負けても己《おのれ》の責任。だが四万十の多くはいくら力を出しても、それが認められない世の中に生きた連中です。与えられたノルマ以上はやらない習性が身についているがです」

「……だったら気持ちを変えてやればいい」

「…………」

「もっともっと仕事を任せて結果を出させてやればいい。結果が出れば達成感がわかる。最初は失敗してもいい。リスクなしに育つものなんてない。信頼がバネになって自然にやる気も生まれる。自信も生まれる」

「それが上杉《うえすぎ》流の育て方ですか」

　ぴくり、と高耶は眉を吊《つ》り上げた。甘いと兵頭は切り捨てた。平時ならばそういうことに時間を費やすことも許される。でも今必要なのは即戦力だ。

「目の前の戦いに勝つのが最優先です。できない人間に仕事を任せるよりも、確実にできる人間に任せたほうがいい」

「こういう時だからこそ、育てるんだ」

　強い眼差《まなざ》しで高耶は言い切った。

「それくらいの時間を稼ぐのがオレたちの仕事じゃないのか？」

　ふと立ち止まる兵頭に、高耶は言った。

「部下の責任は全部オレがとる。苛立ちもするだろうが方針は変えない。それに初めの頃より気持ちも大分変わってきてる。大丈夫だ」

（この人は、霊《れい》も育てるつもりなのか……）

　定石《じょうせき》の逆をいく高耶の考え方には時折ついていけないものがある。

ホールへの階段を下りていくふたりの先から、橘義明《たちばなよしあき》が現れた。あ、と言う顔をすると、

「いま伺《うかが》おうとしていたところです。仰木隊長。急ぎの用件が」

「後にできないか。兵頭の用件が先だ」

「すぐ済みます。リストの確認です」

というと兵頭に目もくれない様子でふたりは打ち合わせを始めてしまう。

（やはりこのふたりは違う）

と兵頭は思う。打ち合わせる言葉の端々《はしばし》に長年仕事を共にしてきた同志の、打てば響くような理解力とスピードがある。そばでみていると自分が部外者のような気がしてくる。

（どんなに隠してもわかるのですよ。隊長）

自分の前ではそんな顔は見せない。本当の片腕に対する全面的な信頼感……。

（なんだ、このカンジは……）

これは遠い昔に感じた妙な気持ちだ。あれは……確か十六の頃。初めて自分の「父」という男を見た時に感じた、あの気持ちによく似ていた。

憎悪《ぞうお》ではなくて……。

あれは多分――。

「仰木さん！　大変です！」

いきなりホールのほうから甲高《かんだか》い声があがった。見れば卯太郎《うたろう》と楢崎《ならさき》だ。どうした、と高耶

が声を返すと、ふたりは慌《あわ》てて、

「武藤さんが豹とケンカして怪我《けが》しました！」

「ケンカ？　なにやってんだ、あいつ！」

「餌やりがてら写真撮ろうとして近付いて、いきなり猫パンチ喰《く》らわされたらしい！」

あのばか、と舌打ちして高耶が階下へと駆けだした。直江《なおえ》と兵頭は踊り場にとり残された。

直江の端正《たんせい》な横顔を見つめて、兵頭は思う。

これは……嫉妬《しっと》、か？

父親に感じたのは憎悪じゃなく、嫉妬だった。あの男は母をどんな思いで犯《おか》したのか。自分の妹をどういう気持ちで、どうやって。

(獣《けもの》の子は獣、か)

母親への恋慕《れんぼ》では済まない気持ちが兵頭にはある。母は死んでよかったのかもしれない。でなければ、自分もあの男のようになっていたか。なれない限りは、いつまでも苦しい思いを強いられたに違いないからだ。

禁忌《きんき》の血が自分にそうさせるのか。それとも……。

ふと直江と目があった。

この男はそういうものを手に入れたのか？

手を伸ばしても届かないものを、手に入れることができたのか？

「用が済んだら、早々に宿毛《すくも》に帰れ」

直江が目を瞠ると、兵頭は手にした書類を丸めて直江の胸に押しつけ、

「ここにおんしの仕事はない。小源太《こげんた》が呼んじょる。宿毛に仰木の意志を正しく伝えてやれ」

「………。そういうおまえこそ、そろそろ海に戻ったほうがいいんじゃないか」

「わしは遊撃隊の副隊長じゃ。まだ任《にん》は解《と》かれちょらん」

人選が気に入らないなら、腕尽《うでず》くで来い。と兵頭は言った。

「わしはいつでも受けて立つ」

言い残すと、兵頭は階段を上っていく。見送る直江の表情は険《けわ》しい。

（兵頭隼人――……）

赤鯨衆内で恐らく最も高耶の信任を得る男。

そして多分高耶の心に最も影響を与えるだろう人間。

直江も敵愾心《てきがいしん》を隠さない。

気がつくとホールの窓に白いものがちらついていた。冷え込む西土佐の森に、春の雪が降り始めていた。

それぞれの心におりてくる。

多分、この冬の最後の雪。

あとがき

今年も街はクリスマスのイルミネーションで賑《にぎ》やかになってまいりました。

気がつけば、お向かいのおうちの庭の電飾も、年々派手になっていきます。どこまで派手になるのか内心ビビりつつ、パソコン机の上のガラス製ツリーは年中出ている桑原水菜《くわばらみずな》です。

前のあとがきで予告しました通り、『炎の蜃気楼《ミラージュ》』の本編は、残すところ、あと一冊となりましたが、その前に、ちょっと一息入れてもらおうと、今回はサイドストーリー集をまとめてみました。

いずれも、執筆しながら本人も非常に愉《たの》しめた作品ですので、皆さんに気に入っていただければ幸いです。

■『ふたり牡丹』

こちらは久々に書いた城北《じょうほく》高校時代のお話です。

時間的には、二巻の直後。

まだまだ不慣れながらも頑張《がんば》っている高耶《たかや》の姿が垣間《かいま》見れます。このころはまだ口調もぞんざいな「高耶口調」なので、久しぶりに書けて楽しかった記憶が……。

文中出てきました「松本《まつもと》ぼんぼん」は実はまだ一度も観《み》に行ったことはないのですが、新しいと言ってもかなり昔からあるおまつりのようですね。（インターネットなど彷徨《さまよ》うと唄《うた》は聞けるようです。ひどく耳に残るらしい……）

松本というと、この頃はドライブついでに買い物とかよくしにいくのですが、本当におしゃれな街になったなあ、というのが最近の印象です。特にパルコ周辺、頑張《がんば》ってます。服買った店の店員さん（勿論《もちろん》地元の方）から話を聞くと、たまに帰省した同級生のお友達なども街の変わりっぷりにびっくりするらしい……。

尤《もっと》も、話の中の時制ではまだ「五年前」なんですが……。

現実の時間では、振り返ると十三年前ですよ。

そりゃ変わるって。

今回は前から書いてみたかった高耶のバイトシーンがたくさん。

譲《ゆずる》と夏休み限定でバイトしたフライドチキン屋（笑）の日々なども興味深いですが、高耶にはやはりガソリンスタンドが似合います。オイルの匂《にお》いにまみれて働く高耶は、白い歯が光りそうなくらい爽《さわ》やかですね！（……かな）

昔ながらの『青山様《あおやま》』と『ぼんぼん』の風習も、いまはどのくらい残っているのかな、と思うのですが、……どこの地方でも、子供が減ったりして昔ながらの風習が途絶えていくところが多いという話をよく耳にします。わざわざ保存会と銘《めい》打たねば残っていかないくらい、伝えていくこと自体が大変なようですので、余所者が無責任に「残せ、残せ」とは言えないのですが、いかに日本人の暮らしが「郷土」というものから離れてしまったかの証《あかし》みたいで淋《さび》しいですよね。

団地育ちの私としては、お正月の獅子舞《ししまい》やお盆の風習に、とても憧《あこが》れがあるようで、そういうのに慣れ親しんだ友人の話を聞くと羨《うらや》ましい限り。匂いのない街で生まれたから、余計に匂いに憧れるのかも。

なので、ぼんぼんの唄を聞いて、すぐにそれとわかる高耶たちは、ちょっと羨ましいです。

私がわかるのは「多摩《たま》音頭」くらい……（泣）

■『鏡像の恋』

こちらは千《ち》秋《あき》が主人公のお話。

時間的には、本編では九巻の後。ＣＤブック『鷲よ、誰がために飛ぶ』（書き下ろし脚本）の割と直後の話でもあります。

千秋が主人公の話は、前から書いてみたかったのですが、実は千秋の目線で内面を書くというのは、私にとってはなかなか勇気がいることでしたので……。今頃になってようやく「書けるかな」と思えるようになってきた次第。

完結に間に合ってよかったです。

千秋の話。しかも恋バナ！　……私もついにそれが書ける境地になったのね、と思うと、我ながら感慨深いです。

千秋といえば初期から常に、メインキャラでは直高の次に人気不動のお人です。最近ではすっかり「イイ人」とされてますが、景虎《かげとら》たちに感化される前の、ややヒール的で異質な側面は、本編よりも邂逅《かいこう》編のほうがやはり如実《にょじつ》に出ている気がします（さりげなくPR）。成人換生もそのひとつですが……。「どういう神経してるんだ」と言われてこそ長秀《ながひで》でもあるので。

そういう「千秋の恋」ですが、

やはり「いい奴《やつ》」だったね、という声が聞こえてきそうで、

私よりも千秋本人が屈辱なのではないかと思います（すみません）。

■『真紅の旗をひるがえせ』

はい。そして、いきなり時間が飛びまして、赤鯨衆《せきげいしゅう》のお話です。

いや、その前頁の『鏡像の恋』とあまりにも時間も状況も飛びすぎているので、はじめ「中書き」でも入れようかとかいろいろ考えましたが、……こんなカタチで落ち着きました。

赤鯨衆の旗を作ろう！　というわけで、旗作りの顚末《てんまつ》でしたが、いかがでしょうか。

二十七巻で赤鯨衆の旗が初めて登場した時、「これは誰がデザインしたのだろう？」と我ながら疑問に思いまして、自《みずか》ら疑問に答えてみました（笑）

わたし的にお気に入りなのは「二十四時間営業中」の食堂です。給食形式ではなく、ちゃんとメニューがあるらしい…（笑）高耶の皿とかには時々頼んでもないのに「かつおのたたき」がのってそうですね。あー……、おなかすいてきちゃった。

叶《かなえ》の一連のシリアスなエピソードの割には、楽しみながら書けたという印象の一作でした。

赤鯨衆は個々を主人公にしても書き甲斐がありそうですので、本編を終わらせて、なお余力があったら、そのうち列伝スタイルの話とか書いてみたい……とは思うのですが、思うだけかもしれません……。はは。ごめんなさい。

■『さいごの雪』
こちらは四国終了直後に書きました掌編です。

これを書いて小太郎《こたろう》の餌《えさ》は高耶がやっていたことが判明しました。猫パンチを繰り出すこと

は不明です。
も。書いてみてわかるディテール……（笑）
高耶の寝顔が書きたかったのか、ひざまずいてる兵頭《ひょうどう》が書きたかったのか、……今となって

というわけで、全四作品。それぞれに味があって、マーブルチョコみたいにはなったかと思います。いかがでしたでしょうか。

前回予告しましたOVA『炎の蜃気楼』。内容は、TVシリーズの続きとなる模様です。『みなぎわの反逆者』をやります。只今鋭意制作中ですので、あとしばらくお待ちくださいね。

さて、完結を目前にしたところで、ひとつ訂正させていただきたいことがありました。九巻のあとがきで、宮本輝《みやもとてる》先生の『優駿』のお話をしましたが「多田さんはユダ的な」というようなことを仰有《おっしゃ》られたのは先生御本人ではなく、どちらかで作品解説をなされた方の文章のようでした。宮本先生、読者の皆様、大変失礼いたしました。

あとは完結に向けてゴーするのみです。これが出る頃には筆をとっていることでしょう。

来る春に向けて。

二〇〇四年一月　　　　　　　　　　桑原水菜

《参考文献》

『別冊歴史読本　戦国名将の夫人と姫君』一九九二年春号（新人物往来社）

《初出一覧》

ふたり牡丹　Cobalt　2002年4月号
鏡像の恋　書き下ろし
真紅の旗をひるがえせ　Cobalt　2002年6月号
さいごの雪　Cobalt　1999年6月号

この作品のご感想をお寄せください。

桑原水菜先生へのお手紙のあて先

〒101―8050　東京都千代田区一ツ橋2―5―10
集英社コバルト編集部　気付
桑原水菜先生

くわばら・みずな

9月23日千葉県生まれ。天秤座。O型。中央大学文学部史学科卒業。1989年下期コバルト読者大賞を受賞。コバルト文庫に「炎の蜃気楼」シリーズ、「風雲縛魔伝」シリーズ、「赤の神紋」シリーズが、単行本に「真皓き残響」シリーズ、『群青』『針金の翼』などがある。趣味は時代劇を見ることと、旅に出ること。日本のお寺と仏像が好きで、今一番やりたいことは四国88カ所踏破。

炎の蜃気楼《ミラージュ》　真紅の旗をひるがえせ

COBALT-SERIES

2004年1月10日　第1刷発行

★定価はカバーに表示してあります

著　者　桑　原　水　菜
発行者　谷　山　尚　義
発行所　株式会社　集　英　社

〒101－8050
東京都千代田区一ツ橋2－5－10
電話　東京　(3230) 6 2 6 8 (編集)
(3230) 6 3 9 3 (販売)
(3230) 6 0 8 0 (制作)

印刷所　図書印刷株式会社

ISBN4-08-600359-7 C0193